L'épistémologie génétique

QUE SAIS-JE ?

L'épistémologie génétique

JEAN PIAGET
Professeur à la Faculté des Sciences de Genève

Sixième édition

42e mille

ISBN 978-2-13-054997-0

Dépôt légal — 1re édition : 1970
Réimpression de la 6e édition : 2008, février

6, avenue Reille, 75014 Paris

INTRODUCTION

J'ai saisi avec plaisir l'occasion d'écrire ce petit livre sur l'Epistémologie génétique, de manière à pouvoir insister sur l'idée trop peu couramment admise mais qui paraît être confirmée par nos travaux collectifs en ce domaine : la connaissance ne saurait être conçue comme prédéterminée ni dans les structures internes du sujet, puisqu'elles résultent d'une construction effective et continue, ni dans les caractères préexistants de l'objet, puisqu'ils ne sont connus que grâce à la médiation nécessaire de ces structures et que celles-ci les enrichissent en les encadrant (ne serait-ce qu'en les situant dans l'ensemble des possibles). En d'autres termes, toute connaissance comporte un aspect d'élaboration nouvelle et le grand problème de l'épistémologie est de concilier cette création de nouveautés avec le double fait que, sur le terrain formel, elles s'accompagnent de nécessité sitôt élaborées et que, au plan du réel, elles permettent (et sont même seules à permettre) la conquête de l'objectivité.

Ce problème de la construction de structures non préformées est, il est vrai, déjà ancien, bien que la majorité des épistémologistes demeurent attachés à des hypothèses, soit aprioristes (avec même certains retours actuels à l'innéisme), soit empiristes, qui subordonnent la connaissance à des formes situées d'avance dans le sujet ou dans l'objet. Tous les courants dialectiques insistent sur l'idée de nouveautés et en cherchent le secret en des « dépassements » qui transcenderaient sans cesse le jeu des thèses et des antithèses. Dans le domaine de l'histoire de la pensée scientifique, le problème des changements de perspective et même des « révolutions » dans les « paradigmes » (Kuhn) s'impose nécessairement et L. Brunschvicg en a tiré une épistémologie du devenir radical de la raison. A l'intérieur de frontières plus spécifiquement psychologiques, J. M. Baldwin a fourni sous le nom de « logique génétique » des vues pénétrantes sur la construction des structures cognitives. Plusieurs autres tentatives pourraient encore être citées.

Mais si l'épistémologie génétique a repris la question, c'est dans la double intention de constituer une méthode apte à fournir des contrôles et surtout de remonter aux sources, donc à la genèse même des connaissances, dont l'épistémologie traditionnelle ne connaît que les états supérieurs, autrement dit certaines résultantes. Le propre de l'épistémologie génétique est ainsi de chercher à dégager les racines des diverses variétés de connaissance dès leurs formes les plus élémentaires et de suivre leur développement aux niveaux ultérieurs jusqu'à la pensée scientifique inclusivement. Mais si ce genre d'analyse comporte une part essentielle d'expérimentation psychologique, il ne se confond nullement pour autant avec un effort de pure psychologie. Les psychologues eux-mêmes ne s'y sont pas trompés et dans une citation que l'*American Psychological Association* a bien voulu adresser à l'auteur de ces lignes on trouve ce passage significatif : « Il a abordé des questions jusque-là exclusivement philosophiques d'une manière résolument empirique et a constitué l'épistémologie comme une science séparée de la philosophie mais reliée à toutes les sciences humaines », sans oublier naturellement la biologie. Autrement dit, la grande société américaine a bien voulu admettre que nos travaux comportaient une dimension psychologique, mais à titre de *byproduct* comme le précise encore la citation, et en reconnaissant que l'intention en était essentiellement épistémologique.

Quant à la nécessité de remonter à la genèse, comme l'indique le terme même d' « épistémologie génétique », il convient de dissiper dès le départ un malentendu possible et qui serait d'une certaine gravité s'il revenait à opposer la genèse aux autres phases de la construction continue des connaissances. La grande leçon que comporte l'étude de la ou des genèses est au contraire de montrer qu'il n'existe jamais de commencements absolus. En d'autres termes il faut dire soit que tout est genèse, y compris la construction d'une théorie nouvelle dans l'état le plus actuel des sciences, soit que la genèse recule indéfiniment, car les phases psychogénétiques les plus élémentaires sont elles-mêmes précédées par des phases en quelque sorte organogénétiques, etc. Affirmer la nécessité de remonter à la genèse ne signifie donc nullement accorder un privilège à telle ou telle phase considérée comme première, absolument parlant : c'est par contre rappeler l'existence d'une construction indéfinie et surtout insister sur le fait que, pour en comprendre les raisons et le mécanisme, il faut en connaître *toutes* les phases ou du moins le *maximum* possible. Si nous avons été conduits à insister davantage sur les débuts de la connaissance, dans les domaines de la psychologie de l'enfant et de la biologie, ce n'est donc pas parce que nous leur attribuons une signification quasi exclusive : c'est simplement parce qu'il s'agit de perspectives en général presque entièrement négligées par les épistémologistes.

Toutes les autres sources scientifiques d'information demeurent donc nécessaires et le second caractère de l'épistémologie génétique sur lequel nous voudrions insister est sa nature résolument interdisciplinaire. Exprimé sous sa forme générale, le problème spécifique de l'épistémologie génétique est, en effet, celui de l'accroissement des connaissances, donc du passage d'une connaissance moins bonne ou plus pauvre à un savoir plus riche (en compréhension et en extension). Or, comme toute science est en devenir et ne considère jamais son état comme définitif (à l'exception de certaines illusions historiques comme celles de l'aristotélisme des adversaires de Galilée ou de la physique newtonienne chez quelques continuateurs), ce problème génétique au sens large englobe aussi celui du progrès de toute connaissance scientifique et comporte deux dimensions : l'une relevant des questions de fait (état des connaissances à un niveau déterminé et passage d'un niveau au suivant), l'autre des questions de validité (évaluation des connaissances en termes d'amélioration ou de régression, structure formelle des connaissances). Il est donc évident que n'importe quelle recherche en épistémologie génétique, qu'il s'agisse du développement de tel secteur de connaissance chez l'enfant (nombre, vitesse, causalité physique, etc.) ou de telle transformation dans l'une des branches correspondantes de la pensée scientifique, suppose la collaboration de spécialistes de l'épistémologie de la science considérée, de psychologues, d'historiens des sciences, de logiciens et mathématiciens, de cybernéticiens, de linguistes, etc. Telle a été constamment la méthode de notre Centre international d'Epistémologie génétique à Genève, dont toute l'activité a donc constamment consisté en un travail d'équipe. L'ouvrage qui suit est donc, sur bien des points, collectif !

Le but de ce petit livre n'est cependant pas de retracer l'histoire de ce Centre ni même de résumer dans le détail les « Etudes d'Epistémologie génétique » qu'il a fait paraître (1). On trouvera en ces « Etudes » les travaux accomplis, ainsi que le récit des discussions qui ont eu lieu lors de chaque Symposium annuel, et qui ont porté sur les recherches en cours. Ce que nous nous proposons ici est simplement de dégager les tendances générales de l'épistémologie génétique et d'exposer les principaux faits qui les justifient. Le plan en est donc fort simple : analyse des données psychogénétiques, puis de leurs préalables biologiques et enfin retour aux problèmes épistémologiques classiques. Il convient néanmoins de commenter ce plan, car les deux premiers de ces trois chapitres pourraient paraître inutiles.

Pour ce qui est en particulier de la psychogenèse des connaissances (chap. Ier), nous l'avons souvent décrite à l'usage des psychologues. Mais les épistémologistes ne lisent que peu les travaux psychologiques et cela se conçoit lorsque ceux-ci ne sont pas explicitement destinés à répondre à leurs préoccupations. Nous avons donc cherché à centrer notre exposé sur les seuls faits comportant une signification épistémologique, et en insistant sur cette dernière : il s'agit par conséquent d'une ten-

(1) On les citera sous le titre général « Etudes » avec le numéro du volume en référence. Voir la Bibliographie p. 125.

tative en partie nouvelle, d'autant plus qu'elle tient compte d'un grand nombre de recherches non encore publiées sur la causalité. Quant aux racines biologiques de la connaissance (chap. II), nous n'avons guère modifié notre point de vue depuis la parution de *Biologie et connaissance* (Gallimard, 1967), mais comme nous avons pu remplacer ces 430 pages par moins d'une vingtaine, on nous pardonnera ce nouveau recours aux sources organiques, qui était indispensable pour justifier l'interprétation proposée par l'épistémologie génétique des relations entre le sujet et les objets.

En un mot on trouvera dans ces pages l'exposé d'une épistémologie qui est naturaliste sans être positiviste, qui met en évidence l'activité du sujet sans être idéaliste, qui s'appuie de même sur l'objet tout en le considérant comme une limite (donc existant indépendamment de nous, mais jamais complètement atteint) et qui surtout voit en la connaissance une construction continuelle : c'est ce dernier aspect de l'épistémologie génétique qui soulève le plus de problèmes et ce sont ceux-ci qu'il s'agissait d'essayer de bien poser et de suffisamment discuter.

Chapitre Premier

LA FORMATION DES CONNAISSANCES (PSYCHOGENÈSE)

L'avantage que présente une étude du développement des connaissances remontant jusqu'à leurs racines (mais pour le moment sans références aux préalables biologiques) est de fournir une réponse à la question mal résolue de la direction des démarches cognitives initiales. A se limiter aux positions classiques du problème, on ne peut, en effet, que se demander si toute information cognitive émane des objets et vient du dehors renseigner le sujet, comme le supposait l'empirisme traditionnel, ou si au contraire le sujet est dès le départ muni de structures endogènes qu'il imposerait aux objets, selon les diverses variétés d'apriorisme ou d'innéisme. Mais, même à multiplier les nuances entre les positions extrêmes (et l'histoire des idées a montré le nombre de ces combinaisons possibles), le postulat commun des épistémologies connues est de supposer qu'il existe à tous les niveaux un sujet connaissant ses pouvoirs à des degrés divers (même s'ils se réduisent à la seule perception des objets), des objets existant comme tels aux yeux du sujet (même s'ils se réduisent à des « phénomènes »), et surtout des instruments d'échange ou de conquête (perceptions ou concepts) déterminant le trajet qui conduit du sujet aux objets ou l'inverse.

Or, les premières leçons de l'analyse psychogénétique semblent contredire ces présuppositions. D'une part la connaissance ne procède en ses sources ni d'un sujet conscient de lui-même ni d'objets déjà constitués (du point de vue du sujet) qui s'imposeraient à lui : elle résulterait d'interactions se produisant à mi-chemin entre deux et relevant donc des deux à la fois, mais en raison d'une indifférenciation complète et non pas d'échanges entre formes distinctes. D'autre part et par conséquent, s'il n'existe au début ni sujet, au sens épistémique du terme, ni objets conçus comme tels, ni surtout d'instruments invariants d'échange, le problème initial de la connaissance sera donc de construire de tels médiateurs : partant de la zone de contact entre le corps propre et les choses ils s'engageront alors toujours plus avant dans les deux directions complémentaires de l'extérieur et de l'intérieur et c'est de cette double construction progressive que dépend l'élaboration solidaire du sujet et des objets.

En effet, l'instrument d'échange initial n'est pas la perception, comme les rationalistes l'ont trop facilement concédé à l'empirisme, mais bien l'action elle-même en sa plasticité beaucoup plus grande. Certes, les perceptions jouent un rôle essentiel, mais elles dépendent en partie de l'action en son ensemble et certains mécanismes perceptifs que l'on aurait pu croire innés ou très primitifs (comme l' « effet tunnel » de Michotte) ne se constituent qu'à un certain niveau de la construction des objets. De façon générale, toute perception aboutit à conférer aux éléments perçus des significations relatives à l'action (J. Bruner parle, à cet égard, d' « identifications », voir « Etudes », vol. VI, chap. Ier) et c'est donc de l'action qu'il convient de partir. Nous distinguerons à cet égard deux périodes successives : celle des actions sensori-motrices antérieures à tout langage ou à toute conceptualisation représentative, et celle des actions complétées par ces nouvelles propriétés et à propos desquelles se pose alors le problème de la prise de conscience des résultats, intentions et mécanismes de l'acte, autrement dit de sa traduction en termes de pensée conceptualisée.

I. — Les niveaux sensori-moteurs

Pour ce qui est des actions sensori-motrices, J. M. Baldwin a montré il y a longtemps déjà que le nourrisson ne manifestait aucun indice d'une conscience de son moi, ni d'une frontière stable entre données du monde intérieur et de l'univers externe, cet « adualisme » durant jusqu'au moment où la construction de ce moi devient possible en correspondance et en opposition avec celui des autres. Nous avons de notre côté fait apercevoir que l'univers primitif ne comportait pas d'objets permanents jusqu'à une époque coïncidant avec cet intérêt pour la personne des autres, les premiers objets doués de permanence étant précisément constitués par ces personnages (résultats vérifiés en détail par Th. Gouin-Décarie, en un contrôle sur la permanence des objets matériels et sur son synchronisme avec les « relations objectales » en ce sens freudien de l'intérêt pour autrui). En une structure de réalité ne comportant ni sujets ni objets, il va de soi que le seul lien possible entre ce qui deviendra plus tard un sujet et des objets est constitué par les actions, mais par des actions d'un type particulier dont la signification épistémologique paraît instructive. En effet, tant sur le terrain de l'espace que des divers claviers perceptifs en construction, le nourrisson rapporte tout à son corps comme s'il était le centre du monde, mais un centre qui s'ignore. En d'autres termes, l'action primitive témoigne tout à la fois d'une indifférenciation complète entre le subjectif et l'objectif et d'une centration fondamentale quoique radicalement inconsciente parce que liée à cette indifférenciation.

Mais quel peut être le lien entre ces deux caractères ? S'il y a indifférenciation entre le sujet et l'objet au point que le premier ne se connaît même pas comme source de ses actions, pourquoi celles-ci sont-elles centrées sur le corps propre alors que l'attention est fixée sur l'extérieur ? Le terme d'égocentrisme radical dont nous nous étions servis pour désigner cette centration a pu sembler au contraire (malgré nos précautions) évoquer un moi conscient (et c'est encore davantage le cas du « narcissisme » freudien, alors qu'il s'agit d'un narcissisme sans Narcisse). En fait, l'indifférenciation et la centration des actions primitives tiennent toutes deux à un troisième caractère qui leur est général : elles ne sont pas encore coordonnées entre elles, et constituent chacune un petit tout isolable reliant directement le corps propre à l'objet (sucer, regarder, saisir, etc.). Il s'ensuit alors un manque de différenciation, car le sujet ne s'affirmera dans la suite qu'en coordonnant librement ses actions et l'objet ne se constituera qu'en se soumettant ou en résistant aux coordinations des mouvements ou des positions en un système cohérent. D'autre part, chaque action formant encore un tout isolable, leur seule référence commune et constante ne peut être que le corps propre, d'où une centration automatique sur lui, quoique non voulue ni consciente.

Pour vérifier cette connexion entre l'incoordination des actions, l'indifférenciation du sujet et des objets et la centration sur le corps propre, il suffit de rappeler ce qui se passe entre cet état initial et le niveau de 18-24 mois, début de la fonction sémiotique et de l'intelligence représentative : en cet intervalle d'un à deux ans s'accomplit, en effet, mais encore seulement au plan des actes matériels, une sorte de révolution copernicienne consistant à décentrer les actions par rapport au corps propre, à considérer celui-ci comme un objet parmi les autres en un espace qui les contient tous et à relier les actions des objets sous l'effet des coordinations d'un sujet qui commence à se connaître en tant que source ou même maître de ses mouvements. En effet (et c'est cette troisième nouveauté qui entraîne les deux autres), on assiste d'abord aux niveaux successifs de la période sensorimotrice à une coordination graduelle des actions : au lieu de continuer à former chacune un petit tout refermé sur lui-même, elles parviennent plus ou moins rapidement, par le jeu fondamental des assimilations réciproques, à se coordonner entre elles jusqu'à constituer cette connexion entre moyens et buts qui caractérise les actes d'intelligence proprement dite. C'est alors que se constitue le sujet en tant que source d'actions et donc de connaissances, puisque la coordination de deux de ces actions suppose une initiative qui dépasse l'interdépendance immédiate dont se contentaient les conduites primitives entre une chose extérieure et le corps propre. Mais coordonner des actions revient à déplacer des objets et, dans la mesure où ces déplacements sont soumis à des coordinations, le « groupe des déplacements » qui s'élabore progressivement de ce fait permet en second lieu d'assigner aux objets des positions successives elles-mêmes déterminées. L'objet acquiert par conséquent une certaine permanence spatio-temporelle, d'où la spatialisation et l'objectivation des relations causales elles-mêmes. Une telle différenciation du sujet et des objets entraînant la substantification progressive de ceux-ci explique en définitive ce renversement total des perspectives qui conduit le sujet à considérer son corps propre comme un objet au sein des autres, en un univers spatio-temporel et causal dont il devient une partie intégrante dans la mesure où il apprend à agir efficacement sur lui.

En un mot la coordination des actions du sujet, inséparable des coordinations spatio-temporelles et causales qu'il attribue au réel, est à la fois source des différenciations entre ce sujet et les objets, et de cette décentration au plan des actes matériels qui va rendre possible avec le concours de la fonction sémiotique l'avènement de la représentation ou de la pensée. Mais cette coordination elle-même soulève, quoique encore limitée à ce plan de l'action, un problème épistémologique et l'assimilation réciproque invoquée à cet effet est un premier exemple de ces nouveautés, à la fois non prédéterminées et devenant cependant « nécessaires », qui caractérisent le développement des connaissances. Il importe donc d'y insister quelque peu dès le départ.

La notion centrale propre à la psychologie d'inspiration empiriste est celle d'association qui, mise en valeur par Hume déjà, demeure rès trésistante dans les milieux dits behavioristes ou réflexologiques. Mais ce concept d'association ne se réfère qu'à un lien extérieur entre les éléments associés, tandis que l'idée d'assimilation (« Etudes », vol. V, chap. III) implique celle de l'intégration des données à unc structure antérieure ou même la constitution d'une nouvelle structure sous la forme élémentaire d'un schème. Pour ce qui est des actions primitives, non coordonnées entre elles, deux cas sont possibles. Dans le premier la structure préexiste en tant qu'héréditaire (par exemple les réflexes de succion) et l'assimilation ne consiste qu'à lui incorporer de nouveaux objets non prévus dans la programmation organique. Dans le second cas, la situation est imprévue : par exemple le nourrisson cherche à saisir un objet suspendu, mais, au cours d'un essai infructueux, se borne à le toucher et il s'ensuit un balancement qui l'intéresse à titre de spectacle inconnu. Il s'essayera alors à retrouver celui-ci, d'où ce que l'on peut appeler une assimilation reproductrice (refaire le même geste) et la formation d'un début de schème. En présence d'un autre objet suspendu il l'assimilera à ce même schème, d'où une assimilation récognitive et, lorsqu'il répète l'action en cette nouvelle situation, une assimilation généralisatrice, ces trois aspects de répétition, récognition et généralisation pouvant se suivre de près. Cela admis, la coordination des actions par assimilation réciproque dont il s'agissait de rendre compte représente à la fois une nouveauté par rapport à ce qui précède et une extension du même mécanisme. On peut y reconnaître deux étapes, dont la première est surtout une extension : elle consiste à assimiler un même objet à deux schèmes à la fois, ce qui est un début d'assimilation réciproque. Par exemple, si l'objet balancé ou secoué produit un son, il peut devenir tour à tour ou simultanément une chose à regarder ou une chose à écouter, d'où une assimilation réciproque conduisant entre autres à agiter n'importe quel jouet pour se rendre compte des bruits qu'il peut émettre. En un tel cas le but et les moyens demeurent relativement indifférenciés, mais, en une seconde étape où prime la nouveauté, l'enfant s'assignera un but avant de pouvoir l'atteindre et utilisera différents schèmes d'assimilation à titre de moyens pour y parvenir : ébranler par des secousses, etc., la toiture du berceau pour faire balancer des jouets sonores qu'on vient d'y suspendre et qui demeurent inaccessibles à la main, etc.

Si modestes que soient ces débuts, on y peut voir à l'œuvre un processus qui se développera de plus en plus dans la suite : la construction de combinaisons nouvelles par une conjonction d'abstractions tirées soit des objets eux-mêmes, soit, et ceci est essentiel, des schèmes de l'action s'exerçant sur eux. C'est ainsi que de reconnaître en un objet suspendu une chose à balancer comporte avant tout une abstraction à partir des objets. En revanche, coordonner des moyens et des buts en respectant l'ordre de succession des mouvements à accomplir constitue une nouveauté par rapport aux actes globaux au sein desquels moyens et fins demeurent indifférenciés, mais cette nouveauté est naturellement acquise à partir de tels actes par un processus consistant à tirer d'eux les relations d'ordre, d'emboîtement, etc., nécessaires à cette coordination. En un tel cas l'abstraction n'est plus du même type et s'oriente dans la direction de ce que nous appellerons dans la suite l'abstraction réfléchissante.

On voit ainsi que dès le niveau sensori-moteur la différenciation naissante du sujet et de l'objet se marque à la fois par la formation de coordinations et par la distinction entre deux espèces parmi elles : d'une part, celles qui relient entre elles les actions du sujet et, d'autre part, celles qui concernent les actions des objets les uns sur les autres.

Les premières consistent à réunir ou dissocier certaines actions du sujet ou leurs schèmes, à les emboîter ou les ordonner, à les mettre en correspondance, etc., autrement dit elles constituent les premières formes de ces coordinations générales qui sont à la base des structures logico-mathématiques dont le développement ultérieur sera si considérable. Les secondes reviennent à conférer aux objets une organisation spatio-temporelle, cinématique ou dynamique analogue à celle des actions, et leur ensemble est au point de départ de ces structures causales, dont les manifestations sensori-motrices sont déjà évidentes et dont l'évolution subséquente est aussi importante que celle des premiers types. Quant aux actions particulières du sujet sur les objets, par opposition aux coordinations générales dont il vient d'être question, elles participent de la causalité dans la mesure où elles modifient matériellement ces objets ou leurs arrangements (exemple les conduites instrumentales) et du schématisme prélogique dans la mesure où elles dépendent des coordinations générales de caractère formel (ordre, etc.). Dès avant la formation du langage, dont certaines écoles, comme le positivisme logique, ont surestimé l'importance quant à la structuration des connaissances, on voit donc que celles-ci se constituent au plan de l'action elle-même avec leurs bipolarités logico-mathématique et physique, sitôt que, grâce aux coordinations naissantes entre les actions, le sujet et les objets commencent à se différencier en affinant leurs instruments d'échange. Mais ceux-ci demeurent encore de nature matérielle, puisque constitués par les actions, et une longue évolution reste nécessaire jusqu'à leur intériorisation en opérations.

II. — Le premier niveau de la pensée préopératoire

Des actions élémentaires initiales, non coordonnées entre elles et ne suffisant alors pas à assurer une différenciation stable entre le sujet et les objets aux coordinations avec différenciations, un grand progrès s'est ainsi accompli qui suffit à assurer l'existence de premiers instruments d'interaction cognitive. Mais ceux-ci ne sont encore situés que sur un seul et même plan : celui de l'action effective et actuelle, c'est-à-dire non réfléchie en un système conceptualisé. Les schèmes de l'intelligence sensori-motrice ne sont, en effet, pas encore des concepts, puisqu'ils ne peuvent pas être manipulés par une pensée et qu'ils n'entrent en jeu qu'au moment de leur utilisation pratique et matérielle, sans aucune connaissance de leur existence en tant que schèmes, faute d'appareils sémiotiques pour les désigner et permettre leur prise de conscience. Avec le langage, le jeu symbolique, l'image mentale, etc., la situation change, en revanche, de façon remarquable : aux actions simples assurant les interdépendances directes entre le sujet et les objets se superpose en certains cas un nouveau type d'actions, qui est intériorisé et plus précisément conceptualisé : par exemple, en plus du pouvoir de se déplacer de *A* en *B*, le sujet acquiert celui de se représenter ce mouvement *AB* et d'évoquer par la pensée d'autres déplacements.

Mais on aperçoit d'emblée les difficultés d'une telle intériorisation des actions. En premier lieu la prise de conscience de l'action n'est jamais que partielle : le sujet se représentera plus ou moins facilement le trajet lui-même *AB* ainsi que, très en gros, les mouvements exécutés, mais le détail lui échappe et même à l'âge adulte on serait fort empêché de traduire en notions et de visualiser avec quelque précision les flexions et extensions des membres au cours de cette marche. La prise de conscience procède donc par choix et schématisation représentative, ce qui implique déjà une conceptualisation. En second lieu, la coordination des mouvements *AB*, *BC*, *CD*, etc., peut atteindre, au niveau sensori-moteur, la structure d'un groupe de déplacements dans la mesure où le passage de chaque trajet partiel au suivant est guidé par la récognition d'indices perceptifs dont la succession assure les liaisons ; tandis que, à vouloir se représenter conceptuellement un tel système, il s'agira de traduire le successif en une représentation d'ensemble à éléments quasi simultanés. Tant les schématisations de la prise de conscience que cette condensation des actions successives en une totalité représentative embrassant en un seul acte les successions temporelles conduisent alors à poser le problème des coordinations en des termes nouveaux, tels que les schèmes immanents aux actions soient transformés en concepts mobiles susceptibles de dépasser celles-ci en les représentant.

En effet, il serait beaucoup trop simple d'admettre que l'intériorisation des actions en représentations ou pensée ne consiste qu'à en retracer le cours ou à se les imaginer par le moyen de symboles ou de signes (images mentales ou langage) sans les modifier ou les enrichir pour autant. En réalité cette intériorisation est une conceptualisation avec tout ce que cela comporte de transformation des schèmes en notions proprement dites, si rudimentaires soient-elles (nous ne parlerons même à cet égard que de « préconcepts »). Or, le schème ne constituant pas un objet de pensée mais se réduisant à la structure interne des actions, tandis que le concept est manipulé par la représentation et le langage, il s'ensuit que l'intériorisation des actions suppose leur reconstruction sur un palier supérieur et par conséquent l'élaboration d'une série de nouveautés irréductibles aux instruments du palier inférieur. Il suffit, pour s'en convaincre, de constater que ce qui est acquis au niveau de l'intelligence ou de l'action sensori-motrice ne donne nullement d'emblée lieu à une représentation adéquate au plan de la pensée : par exemple de jeunes sujets de 4-5 ans examinés avec A. Szeminska savaient parfaitement suivre seuls le chemin les conduisant de leur maison à leur école ou l'inverse, mais sans être capables de le représenter au moyen d'un matériel figurant les principaux repères cités (bâtiments, etc.). De façon générale nos travaux sur les images mentales avec B. Inhelder *(L'image mentale chez l'enfant)* ont montré combien elles restaient assujetties au niveau des concepts correspondants au lieu de figurer librement ce qui peut être perçu de façon immédiate en fait de transformations ou même de simples mouvements.

La raison essentielle de ce décalage entre les actions sensori-motrices et l'action intériorisée ou conceptualisée est que les premières constituent, même au niveau où il y a coordination entre plusieurs schèmes, une suite de médiateurs successifs entre le sujet et les objets mais dont chacun demeure purement actuel ; elle s'accompagne déjà, il est vrai, d'une différenciation entre ce sujet et ces objets, mais ni celui-là ni ceux-ci ne sont pensés en tant que revêtus d'autres caractères que ceux du moment présent. Au niveau de l'action conceptualisée, au contraire, le sujet de l'action (qu'il s'agisse du moi ou d'un objet quelconque) est pensé avec ses caractères durables (prédicats ou relations), les objets de l'action également et l'action elle-même est conceptualisée en tant que transformation particulière parmi bien d'autres représentables entre les termes donnés ou entre des termes analogues. Elle est donc, grâce à la pensée, située dans un contexte spatio-temporel bien plus large, ce qui lui confère un statut nouveau comme instrument d'échange entre le sujet et les objets : en effet, au fur et à mesure du progrès des représentations, les distances augmentent entre elles et leur objet, dans le temps comme dans l'espace, c'est-à-dire que la série des actions matérielles successives, mais chacune momentanée, est complétée par des ensembles représentatifs susceptibles d'évoquer en un tout quasi simultané des actions ou des événements passés ou futurs aussi bien que présents et spatialement éloignés aussi bien que proches.

Il en résulte, d'une part, que dès les débuts de cette période de la connaissance représentative préopératoire, des progrès considérables se marquent dans la double direction des coordinations internes du sujet, donc des futures structures opératoires ou logico-mathématiques, et des coordinations externes entre objets, donc de la causalité au sens large avec ses structurations spatiales et cinématiques. En premier lieu, en effet, le sujet devient rapidement capable d'inférences élémentaires, de classifications à configurations spatiales, de correspondances, etc. En second lieu, dès l'apparition précoce des « pourquoi » on assiste à un début d'explications causales. Il y a donc là un ensemble de nouveautés essentielles par rapport à la période sensori-motrice et l'on ne saurait en rendre responsables les seules transmissions verbales, car les sourds-muets, quoique en retard sur les normaux faute d'incitations collectives suffisantes, n'en présentent pas moins des structurations cognitives analogues à celles des normaux : c'est donc à la fonction sémiotique en général, issue des progrès de l'imitation (la conduite sensori-motrice la plus proche de la représentation, mais en actes), et non pas au langage seul qu'il faut attribuer ce tournant fondamental dans l'élaboration des instruments de connaissance. Autrement dit, le passage des conduites sensori-motrices aux actions conceptualisées n'est pas dû seulement à la vie sociale, mais aussi aux progrès de l'intelligence préverbale en son ensemble et à l'intériorisation de l'imitation en représentations. Sans ces facteurs préalables en partie endogènes, ni l'acquisition du langage ni les transmissions et interactions sociales ne seraient possibles puisqu'ils en constituent l'une des conditions nécessaires.

Mais, d'autre part, il importe d'insister tout autant sur les limites de ces innovations naissantes car leurs aspects négatifs sont à certains égards aussi instructifs au point de vue épistémologique que les positifs, en nous montrant les difficultés bien plus durables qu'il ne semble de dissocier les objets du sujet ou d'élaborer des opérations logico-mathématiques indépendantes de la causalité et susceptibles de féconder les explications causales en conséquence de cette différenciation même. Pourquoi, en effet, la période de 2-3 à 7-8 ans demeure-t-elle préopératoire et pourquoi, avant une sous-période de 5-6 ans où le sujet parvient à une semi-logique (au sens propre que nous analyserons tout à l'heure), faut-il même parler d'une première sous-période où les premières « fonctions constituantes » ne sont pas encore élaborées ? C'est que le passage de l'action à la pensée ou du schème sensori-moteur au concept ne s'accomplit pas sous la forme d'une révolution brusque mais au contraire d'une différenciation lente et laborieuse, qui tient aux transformations de l'assimilation.

L'assimilation propre aux concepts en leur état d'achèvement porte essentiellement sur les objets subsumés par eux et sur leurs caractères. Sans encore parler de la réversibilité ni de la transitivité opératoires, elle reviendra par exemple à réunir tous les *A* dans une même classe parce qu'ils sont assimilables par leur caractère *a* ; ou à affirmer que tous les *A* sont en outre des *B* parce qu'en plus de ce caractère *a* ils possèdent tous le caractère *b* ; par contre tous les *B* ne sont pas des *A*, mais seulement quelques-uns parce qu'ils ne présentent pas tous le caractère *a* ; etc. Ainsi cette assimilation des objets entre eux qui constitue le fondement d'une classification entraîne une première propriété fondamentale du concept : le réglage du « tous » et du « quelques ». D'autre part, dans la mesure où un caractère *x* est susceptible de plus et de moins (ou même s'il n'exprime qu'une copropriété et détermine la coappartenance à une même classe), l'assimilation inhérente à la comparaison des objets lui attribuera une nature relative et le propre de cette assimilation conceptuelle est également de constituer de telles relations en dépassant les faux absolus inhérents aux attributions purement prédicatives. Par contre, l'assimilation propre aux schèmes sensori-moteurs comporte deux différences essentielles avec ce qui précède. La première est que, faute de pensée ou représentation, le sujet ne connaît rien de l' « extension » de tels schèmes, ne pouvant pas évoquer les situations non perçues actuellement et ne jugeant des situations présentes qu'en « compréhension », c'est-à-dire par analogie directe avec les propriétés des situations antérieures. En second lieu cette analogie ne revient pas non plus à évoquer celles-ci, mais seulement à reconnaître perceptivement certains caractères qui déclenchent alors les mêmes actions que ces situations antérieures. En d'autres termes, l'assimilation par schèmes tient certes compte des propriétés des objets, mais exclusivement au moment où ils sont perçus et de façon indissociée par rapport aux actions du sujet auquel ils correspondent (sauf en certaines situations causales où les actions prévues sont celles des objets eux-mêmes par une sorte d'attribution d'actions analogues à celles du sujet). La grande distinction épistémologique entre les deux formes d'assimilations par schèmes sensori-moteurs et par concepts est donc que la première différencie encore mal les caractères de l'objet de ceux des actions du sujet relatives à ces objets, tandis que la seconde porte sur les seuls objets, mais absents autant que présents, et du même coup libère le sujet de ses attaches avec la situation actuelle en lui donnant alors le pouvoir de classer, sérier, mettre en correspondance, etc., avec beaucoup plus de mobilité et de liberté.

Or, l'enseignement que nous offre le premier sous-stade de la pensée préopératoire (de 2 à 4 ans environ) est que, d'une part, les seuls médiateurs entre le sujet et les objets ne sont encore que des préconcepts et des prérelations (sans le réglage du « tous » et du « quelques » pour les premiers ni la relativité des notions pour les secondes) et que, d'autre part et réciproquement, la seule causalité attribuée aux objets demeure psychomorphique, par indifférenciation complète avec les actions du sujet.

Pour ce qui est du premier point on peut, par

exemple, présenter aux sujets quelques jetons rouges et ronds et quelques jetons bleus dont les uns sont ronds et les autres carrés : en ce cas l'enfant répondra facilement que tous les ronds sont rouges, mais il refusera d'admettre que tous les carrés sont bleus « puisqu'il y a aussi des bleus qui sont ronds » ; de façon générale il identifie facilement deux classes de même extension, mais ne comprend pas encore le rapport de sous-classe à classe faute d'un réglage du « tous » et du « quelque ». Bien plus, en de nombreuses situations de la vie courante il aura peine à distinguer en face d'un objet ou d'un personnage x s'il s'agit d'un même terme individuel x demeuré identique à lui-même ou d'un représentant quelconque x ou x' de la même classe X : l'objet demeure ainsi à mi-chemin de l'individu et de la classe par une sorte de participation ou d'exemplarité. Par exemple, une petite fille Jacqueline, voyant une photographie d'elle plus jeune dit que « c'est Jacqueline quand elle était une Lucienne (= sa sœur cadette) », ou bien une ombre ou un courant d'air produits sur la table d'expérience peuvent être aussi bien « l'ombre de dessous les arbres » ou « le vent » du dehors qu'un effet individuel relevant de la même classe. De même dans nos recherches sur l'identité (vol. XXIV des « Etudes »), celle-ci procède, au présent niveau, par assimilations semi-génériques aux actions possibles plus qu'en se fondant sur les caractères des objets : les perles dispersées d'un collier défait sont « le même collier » parce qu'on peut le refaire, etc.

Quant aux prérelations on les observe à foison à ce niveau. Par exemple, le sujet A a un frère B, mais conteste que ce frère B ait lui-même un frère puisqu'ils ne sont « que deux dans la famille ». Un objet A est à gauche de B, mais il ne peut pas être à droite d'autre chose, puisque, s'il est à gauche, c'est un attribut absolu incompatible avec toute position à droite. Si dans une sériation on a $A < B < C$, le terme B ne peut être que « moyen », car une qualification « plus petit » exclut celle de « plus grand », etc.

En un mot, ces préconcepts et prérelations demeurent à mi-chemin du schème d'action et du concept, faute de dominer avec assez de recul la situation immédiate et présente, comme ce devrait être le cas de la représentation par opposition à l'action. Cet attachement durable à l'action, avec ce qu'elle comporte de connexions en partie indifférenciées entre le sujet et les objets, se retrouve alors dans la causalité de ce niveau, qui demeure essentiellement psychomorphique : les objets sont des sortes d'êtres vivants doués de n'importe quels pouvoirs calqués sur ceux de l'action propre, tels que de pousser, tirer, attirer, etc., et à distance comme par contact, sans souci de la direction des forces ou avec une direction exclusive qui est celle de l'agent indépendamment des points d'impact sur les objets passifs.

III. — Le second niveau préopératoire

Ce deuxième sous-stade (5-6 ans) est marqué par un début de décentration permettant la découverte de certaines liaisons objectives grâce à ce que nous appellerons des « fonctions constituantes ». De façon générale il est assez frappant de retrouver entre cette seconde phase de l'intelligence représentative préopératoire et la première les mêmes relations qu'entre la seconde et la première des phases de l'intelligence sensori-motrice décrites sous I : le passage d'un égocentrisme assez radical à une décentration relative par objectivation et spatialisation. La différence est que, au niveau sensori-moteur, la centration initiale s'attache au corps propre (sans que le sujet en ait conscience), tandis qu'avec la conceptualisation du niveau de 2 à 4 ans il y a (sans d'ailleurs que le sujet s'en doute non plus) simple assimilation des objets et de leurs pouvoirs aux caractères subjectifs de l'action propre : sur ce plan supérieur qui est celui des préconcepts et des prérelations, une centration initiale et analogue se reproduit ainsi, puisqu'il s'agit de reconstruire sur ce nouveau plan ce qui était déjà acquis au niveau sensori-moteur. Après quoi on retrouve une décentration également analogue, mais entre concepts ou actions conceptualisées et non plus seulement entre mouvements, et due elle aussi aux coordinations progressives qui, dans le cas particulier, prendront la forme de fonctions (« Etudes », vol. XXIII).

Par exemple, un enfant de 5-6 ans sait en général que si l'on pousse avec un crayon une plaquette rectangulaire en son milieu elle avance « tout droit » ; mais que si on la pousse de côté « elle tourne ». Ou bien en présence d'un fil disposé à angle droit (⌈), il saura prévoir qu'en tirant l'une de ses extrémités l'un de ses segments augmente et l'autre diminue de longueur, etc. Autrement dit, en de tels cas les prérelations deviennent de vraies relations, et cela sous l'effet de leurs coordinations puisque l'une des variables se modifie sous la dépendance fonctionnelle de l'autre.

Cette structure de fonction, en tant que dépendance entre les variations de deux termes qui sont des propriétés relationnelles d'objets, est d'une grande fécondité et ce n'est pas sans motifs que les néo-kantiens cherchaient en elle l'une des caractéristiques de la raison. Dans le cas particulier de ce niveau, nous parlerons de fonctions constituantes et non pas encore constituées, car ces dernières, qui se formeront au stade des opérations concrètes, comportent une quantification effective, alors que les premières demeurent qualitatives ou ordinales. Mais celles-ci n'en présentent pas moins les caractères fondamentaux de la fonction, qui sont d'être une application univoque « à droite » (c'est-à-dire dans la direction de cette application). Seulement, si importante que soit cette structure nouvelle (en sa nouveauté non contenue d'avance dans les préconcepts et prérelations du niveau précédent puisque due aux coordinations elles-mêmes) elle n'en comporte pas moins des limitations essentielles, qui font d'elle un terme de passage entre les actions et les opérations et non point encore un instrument de conquête immédiate de ces dernières.

En effet, la fonction constituante n'est pas réversible comme telle, mais elle est orientée et faute de réversibilité elle ne comporte donc pas encore de conservations nécessaires. Dans l'exemple du fil disposé à angle droit, le sujet sait bien qu'en tirant l'un des segments, soit A, l'autre (B) diminue, mais faute de quantification il ne supposera pas l'égalité $\Delta A = \Delta B$: le segment tiré est en général censé s'allonger davantage que l'autre ne se raccourcit ; et surtout le sujet n'admettra pas la conservation de la longueur totale $A + B$. Il n'y a donc là qu'une semi-logique, faute d'opérations inverses, et pas encore une structure opératoire. Or, ce caractère orienté et non pas intrinsèquement réversible de la fonction constituante présente une signification épistémologique intéressante qui est de montrer ses attaches encore durables avec les schèmes de l'action : en effet l'action à elle seule (c'est-à-dire non promue encore au rang d'opération) est toujours orientée vers un but, d'où le rôle tout à fait prégnant de la notion d'ordre à ce niveau ; par exemple un trajet est « plus long » s'il aboutit « plus loin » (indépendamment des points de départ), etc. En un mot la fonction constituante, en tant qu'orientée, représente la structure semi-logique la plus apte à traduire les dépendances révélées par l'action et ses schèmes, mais sans qu'elles atteignent encore la réversibilité et la conservation qui caractériseront les opérations.

D'autre part, dans la mesure où elle exprime les dépendances intérieures à l'action en tant que médiatrice entre le sujet et les objets, la fonction participe, comme l'action elle-même, d'une double nature, dirigée à la fois vers la logique (pour autant qu'elle relève des coordinations générales entre les actes) et vers la causalité (en tant qu'exprimant des dépendances matérielles). Il nous reste donc à rappeler les grands traits de la prélogique et de la causalité propres à ce niveau de 5-6 ans immédiatement antérieur à celui des opérations concrètes.

Pour ce qui est de la logique, le premier progrès dû aux coordinations entre les actions conceptualisées est la différenciation constante de l'individu et de la classe, ce qui se marque en particulier à la nature des classifications. Au niveau précédent, celles-ci consistent encore en « collections figurales », c'est-à-dire que les ensembles d'éléments individuels sont construits en s'appuyant, non pas seulement sur des ressemblances et différences, mais sur des convergences de diverses natures (une table et ce qu'on met dessus, etc.) et surtout avec le besoin d'attribuer à l'ensemble une configuration spatiale (rangées, carrés, etc.) comme si la collection n'existait qu'en la qualifiant elle-même au moyen de propriétés individuelles faute de dissocier l'extension de la compréhension. Cette dernière indifférenciation va si loin que, par exemple, cinq éléments empruntés à une collection de dix sont souvent censés donner moins que cinq mêmes éléments tirés d'une collection de trente ou cinquante. Au présent niveau, au contraire, les progrès de l'assimilation coordinatrice dissocient l'individu de la classe et les collections ne sont plus figurales, mais consistent en petites réunions sans configuration spatiale. Seulement le réglage du « tous » et du « quelques » est encore loin d'être achevé, car pour comprendre que $A < B$ il faut la réversibilité $A = B - A'$ et la conservation du tout B une fois la partie A dissociée de sa complémentaire A'.

Faute de réversibilité et faute de ces instruments même très élémentaires de quantification, il n'y a alors point encore de conservations des ensembles ou des quantités de matière, etc. De très nombreuses recherches ont repris en plusieurs pays nos expériences à cet égard et ont confirmé l'existence de ces non-conservations propres aux niveaux préopératoires. En revanche, l'identité qualitative des éléments en jeu ne fait pas problème : par exemple, lors d'un transvasement de liquide le sujet reconnaîtra que c'est « la même eau » tout en pensant que sa quantité a augmenté ou diminué puisque le niveau a changé (évaluation ordinale d'après la seule hauteur). J. Bruner voit dans cette identification le point de départ de la conservation et elle lui est, en effet, nécessaire à titre de condition préalable. Mais elle ne suffit nullement, car l'identité ne revient qu'à dissocier parmi les qualités observables celles qui demeurent inchangées et celles qui sont modifiées ; la conservation quantitative suppose au contraire la construction de relations nouvelles et entre autres la compensation des variations de sens différents (hauteur et largeur de la colonne d'eau, etc.), donc la réversibilité opératoire et les instruments de quantification qu'elle entraîne.

Quant aux formes fondamentales de compositions inférentielles, telles que la transitivité A (R) C si A (R) B et B (R) C, elles ne sont pas non plus dominées à ce niveau. Par exemple, si le sujet voit ensemble les deux baguettes $A < B$, puis le couple $B < C$, il ne conclut pas à $A < C$ s'il ne les perçoit pas simultanément. Ou encore si on lui montre trois verres de formes différentes, A contenant un liquide rouge, C un bleu et B restant vide, puis si, derrière un écran, on transvase A en C et réciproquement par l'intermédiaire de B, le sujet voyant le résultat s'imagine alors que l'on a à la fois versé A directement dans C et C dans A sans passer par B et s'essaie même à effectuer ce croisement avant d'en constater l'impossibilité. Ce défaut de transitivité se retrouve, d'autre part, dans le domaine de la causalité en ce qui concerne les processus de transmission médiate. Dans le cas d'une rangée de billes immobiles dont la première est frappée par une autre et dont la dernière part alors seule, les sujets de ce niveau ne comprennent pas, comme ce sera le cas au stade suivant, qu'une partie de l'impulsion a traversé les billes intermédiaires : ils s'imaginent au contraire une succession de transmissions immédiates comme si chacune poussait la suivante par un mouvement, à la manière de billes séparées dans l'espace. Quant aux transmissions immédiates de caractère courant, comme dans le cas du choc d'une boule contre une autre ou contre une boîte, etc., la transmission comme telle est naturellement comprise, mais les directions suivies par les mobiles passif et actif après l'impact ne sont que mal prévues et expliquées.

IV. — Le premier niveau du stade des opérations « concrètes »

L'âge de 7-8 ans en moyenne marque un tournant décisif dans la construction des instruments de connaissance : les actions intériorisées ou conceptualisées dont le sujet devait jusqu'ici se contenter acquièrent le rang d'opérations en tant que transformations réversibles modifiant certaines variables et conservant les autres à titre d'invariants. Cette nouveauté fondamentale est due une fois de plus au progrès des coordinations, le propre des opérations étant avant tout de se constituer en systèmes d'ensemble ou « structures », susceptibles de fermeture et assurant de ce fait la nécessité des compositions qu'elles comportent, grâce au jeu des transformations directes et inverses.

Le problème est alors d'expliquer cette nouveauté qui, tout en présentant un changement qualitatif essentiel, donc une différence de nature avec ce qui précède, ne peut pas constituer un commencement absolu et doit résulter par ailleurs de transformations plus ou moins continues. On n'observe, en effet, jamais de commencements absolus au cours du développement et ce qui est nouveau procède ou de différenciations progressives, ou de coordinations graduelles, ou des deux à la fois, comme on a pu le constater jusqu'ici. Quant aux différences de nature séparant les conduites d'un stade de celles qui précèdent, on ne peut alors les concevoir que comme un passage à la limite, dont il s'agit en chaque cas d'interpréter les caractères.

On en a vu un exemple dans le passage du successif au simultané que rend possible la représentation lors des débuts de la fonction sémiotique. Dans le cas de la connaissance des opérations on se trouve en présence d'un processus temporel analogue, mais portant sur la fusion en un seul acte des anticipations et des rétroactions, ce qui constitue la réversibilité opératoire.

L'exemple de la sériation est particulièrement clair à cet égard. Lorsqu'il s'agit d'ordonner une dizaine de baguettes peu différentes entre elles (de manière à nécessiter les comparaisons deux à deux), les sujets du premier niveau préopératoire procèdent par couples (une petite et une grande, etc.) ou par trios (une petite, une moyenne et une grande, etc.), mais sans pouvoir ensuite les coordonner en une série unique. Les sujets du second niveau parviennent à la série correcte, mais par tâtonnements et correction des erreurs. Au présent niveau, par contre, ils utilisent souvent une méthode exhaustive consistant à chercher d'abord le plus petit élément, puis le plus petit de ceux qui restent, etc. Or, on voit que cette méthode revient à admettre d'avance qu'un élément quelconque E sera à la fois plus grand que les bâtonnets déjà placés, soit $E > D, C, B, A$ et plus petit que ceux qui ne le sont pas encore soit $E < F, G, H$, etc. La nouveauté consiste donc à utiliser les relations $>$ et $<$, non pas à l'exclusion l'une de l'autre ou par alternances non systématiques au cours des tâtonnements, mais simultanément. En effet, jusque-là le sujet oriente ses manipulations dans un seul sens de parcours ($>$ ou $<$) et se trouve embarrassé dès qu'on pose des questions relatives à l'autre sens possible. Dorénavant au contraire, sa construction même tient compte des deux sens à la fois (puisque l'élément cherché E est conçu comme étant à la fois $> D$ et $< F$) et elle passe sans difficulté de l'un à l'autre : il est donc légitime de dire qu'en ce cas l'anticipation (orientée dans l'un des sens) et la rétroaction deviennent solidaires, ce qui assure la réversibilité du système.

De façon générale (et si ce fait est bien visible dans le cas de la sériation, on en peut dire tout autant dans le cas des classifications) le passage à la limite qui caractérise l'apparition des opérations, en opposition avec les régulations simples propres aux niveaux antérieurs, est que, au lieu de procéder par corrections après coup, c'est-à-dire une fois l'action déjà exécutée matériellement, les opérations consistent en une précorrection des erreurs, grâce au double jeu des opérations directes et inverses, autrement dit, comme on vient de le voir, d'anticipations et rétroactions combinées ou plus précisément d'une anticipation possible des rétroactions elles-mêmes. A cet égard, l'opération constitue ce que l'on appelle parfois en cybernétique une régulation « parfaite ».

Un autre passage à la limite, d'ailleurs solidaire du précédent, est celui que constitue la fermeture des systèmes. Avant la sériation opératoire le sujet parvenait à des sériations empiriques obtenues par tâtonnements ; avant les classifications opératoires avec quantification de l'inclusion ($A < B$) le sujet parvenait à construire des collections figurales ou même non figurales ; avant la synthèse du nombre il sait déjà compter jusqu'à certains entiers mais sans conservation du tout lors de modifications figurales, etc. A cet égard la structure opératoire finale apparaît bien comme le résultat d'un processus constructif continu, mais la fusion des anticipations et des rétroactions, dont il vient d'être question, entraîne alors une fermeture du système sur lui-même, ce qui se traduit par une nouveauté essentielle : ses liaisons internes deviennent de ce fait nécessaires et ne consistent plus en relations construites successivement sans connexion avec les précédentes. Cette nécessité est bien issue ainsi d'un réel passage à la limite, car une fermeture peut être plus ou moins complète et ce n'est qu'au moment où elle est entière qu'elle produit ce caractère d'interdépendances nécessaires. Celles-ci se manifestent alors sous la forme de deux propriétés solidaires, dorénavant générales en toutes les structures opératoires de ce niveau : la transitivité et les conservations.

Que la transitivité des emboîtements ou des relations ($A \leqslant C$ si $A \leqslant B$ et $B \leqslant C$) soit liée à la fermeture des systèmes, cela va de soi : tant que la construction de ces derniers procède par tâtonnements, à la manière des sériations où des relations partielles sont d'abord établies avant d'être coordonnées en un tout, la transitivité ne saurait être prévue en tant que nécessaire et ne devient évidente que par perception simultanée des éléments $A < B < C$; dans la mesure au contraire où il y a anticipation des deux sens de parcours $>$ et $<$, la transitivité s'impose en tant que loi du système et précisément parce qu'il y a système, c'est-à-dire fermeture puisque la position de chaque élément est déterminée d'avance par la méthode même utilisée dans la construction.

Pour ce qui est des conservations, qui constituent le meilleur indice de la formation des structures opératoires, elles sont étroitement liées tout à la fois à la transitivité et à la fermeture des structures. A la transitivité cela est clair, car si l'on a $A = C$ parce que $A = B$ et $B = C$, c'est que quelque caractère se conserve de A à C, et, d'autre part, si le sujet admet comme nécessaires les conservations $A = B$ et $B = C$ il en déduira $A = C$ en vertu des mêmes arguments. Quant à ces arguments, que l'on retrouve dans la justification de toutes les conservations, ils témoignent tous trois de compositions propres à une structure refermée sur elle-même, c'est-à-dire dont les transformations internes ne dépassent pas les frontières du système et ne recourent, pour être effectuées, à aucun élément extérieur à lui. Lorsque, dans l'argument le plus fréquent, le sujet dit simplement qu'un même ensemble ou un même objet conserve sa quantité en passant des états A à B, parce qu' « on n'a rien ôté ni ajouté », ou simplement « parce que c'est le même », il ne s'agit plus en effet de l'identité qualitative propre au niveau précédent, puisque précisément cette dernière n'entraînait pas l'égalité ou la conservation quantitatives : il s'agit donc de ce qu'on a appelé en langage de « groupes » l' « opération identique » ± 0 et cette opération n'a de sens qu'à l'intérieur d'un système. Lorsque (second argument) le sujet dit qu'il y a conservation de A à B puisqu'on peut ramener l'état B à l'état A (réversibilité par inversion), il s'agit à nouveau d'une opération inhérente à un système, car le retour empirique possible de B à A était lui aussi parfois admis au niveau précédent, mais également sans entraîner pour autant la conservation. En troisième lieu, lorsque le sujet dit que la quantité se conserve parce que l'objet s'est allongé mais en même temps rétréci (ou que la collection occupe un espace plus grand mais devient moins dense) et que l'une des deux modifications compense l'autre (réversibilité par réciprocité des relations) il est encore plus clair qu'il y a système d'ensemble et refermé sur lui-même : en effet, le sujet ne fait aucune mesure pour évaluer les variations et il ne juge de leur compensation qu'*a priori* et de façon purement déductive, ce qui implique le postulat préalable d'une invariance du système total.

Tels sont les progrès assez considérables qui marquent le début du stade des opérations concrètes en ce qui concerne leur aspect logique. On voit que les passages à la limite dont nous venons de parler et qui séparent ce niveau du précédent sont en fait complexes et comportent en réalité trois moments solidaires. Le premier est celui d'une abstraction réfléchissante extrayant des structures inférieures de quoi construire les supérieures : par exemple l'ordination qui constitue la sériation est tirée des ordinations partielles intervenant déjà dans la construction des couples, trios ou séries empiriques ; les réunions caractérisant les classifications opératoires sont tirées des réunions partielles à l'œuvre dès les collections figurales et la formation des concepts préopératoires, etc. Le second moment est celui d'une coordination visant à embrasser la totalité du système et tendant ainsi à sa fermeture en reliant entre elles ces diverses ordinations ou réunions partielles, etc. Le troisième moment est alors celui de l'autorégulation d'un tel processus coordinateur, aboutissant à équilibrer les connexions selon les deux sens direct et inverse de la construction, de telle sorte que l'arrivée à équilibre caractérise ce passage à la limite qui engendre les nouveautés propres à ces systèmes par rapport aux précédents, et notamment leur réversibilité opératoire.

Ces diverses phases se retrouvent en particulier dans la synthèse du nombre entier à partir des inclusions de classes et des relations d'ordre. Le propre d'un ensemble numérique ou dénombrable, pour ne pas dire numérable, par opposition à des collections simplement classables ou sériables, est d'abord de faire abstraction des qualités des termes individuels, de telle sorte qu'ils deviennent tous équivalents. Cela fait, on pourrait néanmoins les distribuer en classes emboîtées $(\mathrm{I}) < (\mathrm{I} + \mathrm{I}) < (\mathrm{I} + \mathrm{I} + \mathrm{I}) <$ etc., mais à la condition de pouvoir les distinguer, sinon tel élément serait compté deux fois ou tel autre oublié. Or, une fois éliminées les qualités différentielles des individus I, I, I, etc., ils sont indiscernables et, à s'en tenir aux opérations de la logique des classes qualitatives, ne sauraient donner lieu qu'à la tautologie $A + A = A$ et non pas à l'itération $\mathrm{I} + \mathrm{I} = \mathrm{II}$. La seule distinction possible qui subsiste alors, à défaut de qualité, est celle qui résulte de l'ordre $\mathrm{I} \rightarrow \mathrm{I} \rightarrow \mathrm{I} \rightarrow \ldots$ (positions dans l'espace ou le temps, ou ordre d'énumération), encore qu'il s'agisse là d'un ordre vicariant (tel qu'on retrouve le même en permutant les termes). Le nombre apparaît donc comme une fusion opératoire de l'inclusion des classes et de l'ordre sérial, synthèse devenant nécessaire sitôt qu'il est fait abstraction des qualités différentielles sur lesquelles se fondent classifications et sériations. En fait, c'est bien ainsi que la construction des entiers semble s'effectuer, en synchronisation avec la formation de ces deux autres structures (voir « Etudes », vol. XI, XIII et XVII).

Or, on retrouve en une telle nouveauté les trois moments essentiels de toute construction opératoire, tels qu'on vient de les indiquer : une abstraction réfléchissante fournissant les liaisons d'emboîtements et d'ordre, une coordination nouvelle les réunissant en un tout $\{[(\mathrm{I}) \rightarrow (\mathrm{I})] \rightarrow (\mathrm{I})\} \ldots$, etc., et une autorégulation ou équilibration permettant de parcourir le système dans les deux sens (réversibilité de l'addition et de la soustraction) en assurant la conservation de chaque ensemble ou sous-ensemble. Ce n'est pas à dire d'ailleurs que cette synthèse du nombre s'effectue après que soient achevées les structures de classification et de sériation, car on trouve dès les niveaux préopératoires des nombres figuraux sans conservation du tout, et la construction du nombre peut favoriser celle des inclusions de classes autant ou parfois plus que l'inverse : il semble donc qu'à partir des structures initiales, il puisse y avoir abstraction réfléchissante des liaisons d'emboîtement et d'ordre à des fins multiples avec échanges collatéraux variables entre les trois structures fondamentales de classes, relations et nombres.

Quant aux opérations spatiales (« Etudes », vol. XVIII et XIX), elles se constituent en parallélisme étroit avec les précédentes, à cela près que les emboîtements ne reposent plus sur les ressemblances et différences qualitatives, comme c'est le cas des classes d'objets discrets, mais sur les voisinages et séparations. En ce cas, le tout n'est plus une collection de termes discontinus, mais un objet total et continu dont les morceaux sont réunis et emboîtés, ou dissociés, selon ce principe de voisinages : les opérations élémentaires de partition ou de placement et déplacements sont alors isomorphes à celles d'inclusion ou de sériation, d'autant plus qu'au niveau préopératoire initial il y a indifférenciation relative entre les objets spatiaux et les collections prélogiques (cf. les collections figurales à arrangement spatial ou les nombres figuraux évalués selon leur configuration ou la longueur des rangées). Lorsque vers 7-8 ans la différenciation devient claire entre ces deux sortes de structures, on peut alors parler d'opérations logico-arithmétiques pour celles qui reposent sur le discontinu et les ressemblances ou différences (équivalences de divers degrés) et d'opérations infralogiques pour celles qui relèvent du continu et des voisinages, car, si elles sont isomorphes, elles sont de « types » différents et non transitives entre elles : les premières partent des objets pour les réunir ou les sérier, etc., tandis que les secondes décomposent un objet d'un seul tenant ; quant à la transitivité, si Socrate est un Athénien et par conséquent un Grec, un Européen, etc., par contre le nez de Socrate, tout en faisant partie de lui, n'est rien de tout cela.

L'isomorphisme de ces opérations logico-arithmétiques et infralogiques ou spatiales est particulièrement frappant dans le cas de la construction de la mesure, qui s'effectue d'une manière très analogue à celle du nombre, mais avec un petit décalage dans le temps du fait que l'unité n'est pas suggérée par le caractère discontinu des éléments, mais doit être construite par découpage du continu et anticipée comme pouvant être reportée sur les autres parties de l'objet. La mesure apparaît alors (et on peut suivre pas à pas dans les conduites successives les étapes laborieuses de cette élaboration) comme une synthèse de la partition et des déplacements ordonnés, en parallèle étroit avec la synthèse de l'emboîtement et des relations d'ordre dans la construction du nombre. Ce n'est qu'au terme de cette nouvelle synthèse que la mesure peut être simplifiée sous la forme d'une application directe du nombre au continu spatial, mais (sauf naturellement si l'on offre des unités toutes faites au sujet) il faut passer par le détour infralogique nécessaire pour en arriver là.

A ces multiples conquêtes qui marquent le premier niveau du stade des opérations concrètes il faut ajouter celles qui concernent la causalité. De même qu'aux niveaux préopératoires cette dernière consistait d'abord à attribuer aux objets les schèmes de l'action propre (sous une forme d'abord psychomorphique, puis en décomposant ces schèmes en fonctions objectivables), de même la causalité consiste dès 7-8 ans en une sorte d'attribution des opérations elles-mêmes à des objets ainsi promus au rang d'opérateurs dont les actions deviennent composables de façon plus ou moins rationnelle. C'est ainsi que dans les questions de transmission du mouvement la transitivité opératoire se traduit par la formation d'un concept de transmission médiate « semi-interne » : tout en continuant d'admettre, par exemple, que le mobile actif met en mouvement le dernier des passifs parce que les mobiles intermédiaires se sont légèrement déplacés pour se pousser les uns les autres, le sujet supposera néanmoins qu'un « élan », un « courant », etc., a traversé ces médiateurs. Dans les problèmes d'équilibre entre poids, le sujet invoquera des compensations et des équivalences en prêtant aux objets des compositions à la fois additives et réversibles. En un mot on peut parler d'un début de causalité opératoire, sans que cela signifie d'ailleurs que les opérations précédemment décrites se constituent en toute autonomie pour être ensuite seulement attribuées au réel : c'est souvent, au contraire, à l'occasion d'une recherche d'explication causale, que s'effectuent simultanément la synthèse opératoire et son attribution aux objets, par des interactions variées entre les formes opératoires dues à l'abstraction réfléchissante et des contenus tirés de l'expérience physique par abstraction simple et pouvant favoriser (ou inhiber) les structurations logiques et spatiales.

Cette dernière remarque conduit à insister maintenant sur les limites propres à ce niveau ou caractérisant les opérations concrètes en général. Contrairement, en effet, aux opérations que nous appellerons formelles au niveau de 11-12 ans et qui se caractérisent par la possibilité de raisonner sur des hypothèses en distinguant la nécessité des connexions dues à la forme et la vérité des contenus, les opérations « concrètes » portent directement sur les objets : cela revient donc encore à agir sur eux, comme aux niveaux préopératoires, mais en conférant à ces actions (ou à celles qui leur sont prêtées lorsqu'ils sont considérés comme des opérateurs causaux) une structure opératoire, c'est-à-dire composable de façon transitive et réversible. Cela étant, il est alors clair que certains objets se prêteront plus ou moins facilement à cette structuration, tandis que d'autres résisteront, ce qui signifie que la forme ne saurait être dissociée des contenus, et que les mêmes opérations concrètes ne s'appliqueront qu'avec des décalages chronologiques à des contenus différents : c'est ainsi que la conservation des quantités, la sériation, etc., et même la transitivité des équivalences ne sont dominées dans le cas du poids que vers 9-10 ans et non pas 7-8 ans comme pour les contenus simples, parce que le poids est une force et que son dynamisme causal fait obstacle à ces structurations opératoires ; et pourtant, lorsque celles-ci s'effectuent, c'est avec les mêmes méthodes et les mêmes arguments que les conservations, sériations ou transitivité de 7-8 ans.

Une autre limitation fondamentale des structures d'opérations concrètes est que leurs compositions procèdent de proche en proche et non pas selon n'importe quelles combinaisons. Tel est le caractère essentiel des structures de « groupements », dont un exemple simple est celui de la classification. Si A, B, C, etc., sont des classes emboîtées et A', B', C' leurs complémentaires sous la suivante, on a :

(1) $A + A' = B$; $B + B' = C$; etc.
(2) $B - A' = A$; $C - B = B'$; etc.
(3) $A + 0 = A$
(4) $A + A = A$, d'où $A + B = B$; etc.
(5) $(A + A') + B' = A + (A' + B')$
mais : $(A + A) - A \neq A + (A - A)$
car : $A - A = 0$ et $A + 0 = A$.

En ce cas une composition non contiguë telle que $A + F'$ ne donne pas une classe simple, mais aboutit à $(G - E' - D' - C' - B' - A')$. C'est encore le cas dans le « groupement » d'une classification zoologique où « l'huître + le chameau » ne peuvent se composer autrement. Or, une des particularités de ce premier niveau des opérations concrètes est que même la synthèse du nombre, qui semble devoir échapper à ces limitations (puisque les entiers forment un groupe avec le zéro et les négatifs et non pas un groupement), ne procède que de proche en proche : P. Gréco a en effet montré que la construction des nombres naturels ne s'effectue que selon ce qu'on pourrait appeler une arithmétisation progressive dont les étapes seraient à peu près caractérisées par les nombres 1-7 ; 8-15 ; 16-30 ; etc. Au-delà de ces frontières dont le déplacement est assez lent, les nombres ne comporteraient encore que des aspects inclusifs (classes) ou sériaux, avant que la synthèse de ces deux caractères ne s'achève (« Etudes », vol. XIII).

V. — Le second niveau des opérations concrètes

Ce sous-stade (vers 9-10 ans) est celui où est atteint l'équilibre général des opérations « concrètes », en plus des formes partielles déjà équilibrées dès le premier niveau. Par ailleurs, c'est le palier où les lacunes propres à la nature même des opérations concrètes commencent à se faire sentir en certains secteurs, notamment celui de la causalité, et où ces nouveaux déséquilibres préparent en quelque sorte la rééquilibration d'ensemble qui caractérisera le stade suivant et dont on aperçoit parfois quelques ébauches intuitives.

La nouveauté de ce sous-stade se marque en particulier dans le domaine des opérations infralogiques ou spatiales. C'est ainsi que dès 7-8 ans on voit se constituer certaines opérations relatives aux perspectives et aux changements de points de vue en ce qui concerne un même objet dont on modifie la position par rapport au sujet. Par contre, ce n'est que vers 9-10 ans qu'on peut parler d'une coordination des points de vue par rapport à un ensemble d'objets, par exemple trois montagnes ou bâtiments qui seront observés en différentes situations. De même à ce niveau les mesures spatiales selon une, deux ou trois dimensions engendrent la construction de coordonnées naturelles qui les relient en un système total : ce n'est donc également que vers 9-10 ans que seront prévues l'horizontalité du niveau de l'eau en un récipient qu'on incline, ou la verticalité d'un fil à plomb proche d'une paroi oblique. De façon générale il s'agit en tous ces cas de la construction de liaisons interfigurales en plus des connexions intrafigurales qui intervenaient seules au premier sous-stade, ou, si l'on préfère, de l'élaboration d'un espace par opposition aux simples figures.

Au point de vue des opérations logiques, on peut noter ce qui suit. Dès 7-8 ans le sujet est capable de construire des structures multiplicatives aussi bien qu'additives : tables à double entrée (matrices) comportant des classifications selon deux critères à la fois, des correspondances sériales ou des doubles sériations (par exemple des feuilles d'arbre sériées en vertical selon leurs grandeurs et en horizontal selon leurs teintes plus ou moins foncées). Mais il s'agit là davantage de réussites par rapport à la question posée (« arranger les figures le mieux possible », sans suggestion sur la disposition à trouver) que d'une utilisation spontanée de la structure. Au niveau de 9-10 ans, en revanche, lorsqu'il s'agit de dégager des dépendances fonctionnelles dans un problème d'induction (par exemple entre les angles de réflexion et d'incidence), on observe une capacité générale de dégager des covariations quantitatives, sans encore dissocier les facteurs comme ce sera le cas au stade suivant, mais en mettant en correspondance des relations sériées ou des classes. Si global que puisse rester le procédé lorsque les variables demeurent insuffisamment distinguées, la méthode témoigne d'une structuration opératoire efficace. De même, on assiste à un progrès net dans la compréhension des intersections : alors que le produit cartésien représenté par des matrices à double entrée est facilement saisi dès le niveau de 7-8 ans, en tant que structure multiplicative complète (et cela à peu près en même temps que le maniement des classes disjointes en un groupement additif), l'intersection de deux ou plusieurs classes non disjointes n'est par contre dominée qu'au présent niveau ainsi qu'en bien des cas encore la quantification de l'inclusion $AB < B$.

Sur le terrain causal, par contre, ce niveau de 9-10 ans présente un mélange assez curieux de progrès notables et de lacunes non moins frappantes se présentant même parfois comme des sortes de régressions apparentes. A commencer par les progrès, les considérations dynamiques et la cinématique demeuraient jusque-là indifférenciées du fait que le mouvement lui-même avec sa vitesse était considéré comme une sorte de force, souvent appelée « élan » : au niveau de 9-10 ans, cependant, on assiste à une dissociation et à une coordination telles que les mouvements et surtout leurs changements de vitesse requièrent l'intervention d'une cause extérieure, ce que l'on peut symboliser comme suit en termes d'action, c'est-à-dire de la force f s'exerçant pendant un temps t et sur une distance e (soit fte) : $fte = dp$ au sens de $fte \rightarrow dp$, où $dp = d(mv)$ et non pas $m\,dv$, tandis qu'au niveau précédent on a simplement $fte \equiv dp$ ou même $fte \equiv p$. Ce n'est qu'au stade suivant qu'interviendra l'accélération (cf. $f = ma$). D'autre part la différenciation de la force et du mouvement conduit à certains progrès, directionnels ou prévectoriels, tenant compte à la fois du sens des poussées ou tractions du mobile actif et de la résistance des mobiles passifs (conçue comme un freinage sans encore de notions de réactions). Dans le cas du poids ce progrès est assez net. Par exemple une tige en position oblique est censée jusque-là tomber dans le sens de son inclinaison, tandis qu'au présent niveau elle chute verticalement. Il faut dorénavant plus de force pour faire monter un wagon sur un plan incliné que pour le retenir en place, tandis qu'au niveau précédent c'était le contraire parce que, retenu, le wagon a tendance à descendre tandis que si on le fait monter il ne descend plus ! Et surtout l'horizontalité de la surface de l'eau est dorénavant expliquée par le poids du liquide (jusque-là considéré comme léger parce que mobile) et par sa tendance à descendre, ce qui exclut les inégalités de hauteur : on voit en ce dernier cas l'interdépendance étroite des constructions spatiales interfigurales (coordonnées naturelles) et du progrès causal faisant intervenir des forces et des directions ne dépendant plus comme jusque-là des seules interactions entre l'eau et son récipient.

Mais la rançon de ce développement de la causalité est que le sujet se pose une série de nouveaux problèmes dynamiques sans pouvoir les dominer, d'où parfois une apparence de régression. Par exemple, du fait que le poids descend dorénavant verticalement, le sujet admettra volontiers qu'il pèse plus au bas d'un fil qu'en haut (quand ce n'est pas l'inverse à cause de sa chute prochaine...). Ou encore, il pensera que le poids d'un corps augmente avec sa poussée et diminue avec sa vitesse, comme si, de $p = mv$, on tirait $m = p : v$; etc. Il va alors de soi que de telles suppositions font obstacle aux compositions additives, etc., d'où des réactions paraissant régressives. Le sujet s'en tire en distinguant deux aspects ou domaines. D'une part il considère le poids en tant que propriété invariante des corps : en effet, la conservation du poids lors des changements de forme de l'objet débute précisément à ce niveau, de même que les sériations, transitivité et autres compositions opératoires appliquées à cette notion. Mais, d'autre part, il juge ses actions variables, en soutenant simplement qu'en certains cas le poids « donne » ou « pèse » (ou « tire », etc.) plus qu'en d'autres, ce qui n'est pas faux, mais demeure incomplet et arbitraire, tant qu'il n'y aura pas, comme au stade suivant, composition du poids avec les grandeurs spatiales (longueurs, surfaces ou volumes avec les notions de moment, de pression, de densité ou poids relatif, et surtout de travail).

Au total le second niveau du stade des opérations concrètes présente une situation paradoxale. Jusqu'ici nous avons assisté, en partant d'un niveau initial d'indifférenciation entre le sujet et l'objet, à des progrès complémentaires et relativement équivalents dans les deux directions de la coordination interne des actions puis des opérations du sujet, et de la coordination externe des actions d'abord psychomorphiques puis opératoires attribuées aux objets. En d'autres termes nous avons observé, niveau par niveau, deux sortes de développements étroitement solidaires : celui des opérations logico-mathématiques et celui de la causalité, avec influence constante des premières sur la seconde du point de vue des attributions d'une forme à un contenu et influence réciproque du point de vue des facilitations ou résistances que le contenu offre ou oppose à la forme. Quant à l'espace, il participe de ces deux mouvements ou natures, relevant à la fois des opérations géométriques ou infralogiques du sujet et des propriétés statiques, cinématiques et même dynamiques de l'objet, d'où son rôle constant d'organe de liaison. Or, à ce second sous-stade du stade des opérations concrètes nous nous trouvons en présence d'une situation qui, tout en prolongeant les précédentes, comporte la nouveauté suivante.

D'une part, les opérations logico-mathématiques, y compris spatiales, parviennent par leurs généralisations et leur équilibration à un état d'extension et d'utilisation maximales, mais sous leur forme très limitée d'opérations concrètes avec tout ce que comporte de restrictions les structures de « groupements » (quant aux classes et aux relations), à peine dépassées par des débuts d'arithmétisation et de géométrisation métrique. D'autre part, le développement des recherches et même des explications causales, en net progrès sur celles du premier sous-stade (de 7 à 8 ans), conduit le sujet à soulever un ensemble de problèmes cinématiques et dynamiques qu'il n'est point encore en état de résoudre avec les moyens opératoires dont il dispose. Il s'ensuit alors, et c'est là ce qui est nouveau, une série de déséquilibres féconds, sans doute analogues fonctionnellement à ceux qui interviennent dès les débuts du développement, mais dont la portée est bien plus grande pour les structurations ultérieures : ils conduiront en effet à compléter des structures opératoires déjà construites et pour la première fois stables, en construisant sur leur base « concrète » ces « opérations sur des opérations » ou opérations à la seconde puissance que constitueront les opérations propositionnelles ou formelles, avec leur combinatoire, leurs groupes de quaternalité, leurs proportionnalités et distributivités et tout ce que ces nouveautés rendent possible sur le terrain de la causalité.

VI. — Les opérations formelles

Avec les structures opératoires « formelles » qui commencent à se constituer vers 11-12 ans, nous parvenons à la troisième grande étape du processus qui conduit les opérations à se libérer de la durée, c'est-à-dire en fait du contexte psychologique des actions du sujet avec ce qu'elles comportent de dimension causale en plus de leurs propriétés implicatrices ou logiques, pour atteindre finalement ce caractère extemporané qui est le propre des liaisons logico-mathématiques épurées. La première étape était celle de la fonction sémiotique (vers 1 1/2-2 ans) qui, avec l'intériorisation de l'imitation en images et l'acquisition du langage, permet la condensation des actions successives en représentations simultanées. La seconde grande étape est celle du début des opérations concrètes qui, en coordonnant les anticipations et les rétroactions, parviennent à une réversibilité susceptible de remonter le cours du temps et d'assurer la conservation des points le départ. Mais si l'on peut, à cet égard, déjà parler d'une mobilité conquise sur la durée, elle reste liée à des actions et manipulations qui elles-mêmes sont successives, puisqu'il s'agit en fait d'opérations demeurant « concrètes », c'est-à-dire portant sur les objets et les transformations réelles. Les opérations « formelles » marquent par contre une troisième étape où la connaissance dépasse le réel lui-même pour l'insérer dans le possible et pour relier directement le possible au nécessaire sans la médiation indispensable du concret : or, le possible cognitif, tel que par exemple la suite infinie des entiers, la puissance du continu ou simplement les seize opérations résultant des combinaisons de deux propositions p et q et de leurs négations, est essentiellement extemporané, par opposition au virtuel physique dont les réalisations se déploient dans le temps.

En effet, le premier caractère des opérations formelles est de pouvoir porter sur des hypothèses et non plus seulement sur les objets : c'est cette nouveauté fondamentale dont tous les auteurs ont noté l'apparition vers 11 ans. Mais elle en implique une seconde, tout aussi essentielle : les hypothèses n'étant pas des objets sont des propositions, et leur contenu consiste en opérations intrapropositionnelles de classes, relations, etc., dont on pourrait fournir la vérification directe ; il en est de même des conséquences tirées d'elles par voie inférentielle ; par contre, l'opération déductive conduisant des hypothèses à leurs conclusions n'est plus du même type, mais est interpropositionnelle et consiste donc en une opération effectuée sur des opérations, c'est-à-dire une opération à la seconde puissance. Or, c'est là un caractère très général des opérations qui doivent attendre ce dernier niveau pour se constituer, qu'il s'agisse d'utiliser les implications, etc., de la logique des propositions ou d'élaborer des relations entre relations (proportions, distributivité, etc.), de coordonner deux systèmes de référence, etc.

C'est ce pouvoir de former des opérations sur des opérations qui permet à la connaissance de dépasser le réel et qui lui ouvre la voie indéfinie des possibles par le moyen de la combinatoire, en se libérant alors des constructions de proche en proche auxquelles restent soumises les opérations concrètes. En effet, les combinaisons *n* à *n* constituent en fait une classification de toutes les classifications possibles, les opérations de permutation reviennent à une sériation de toutes les sériations possibles, etc. L'une des nouveautés essentielles des opérations formelles consiste ainsi à enrichir les ensembles de départ en élaborant des « ensembles de parties » ou simplexes, qui reposent sur une combinatoire. On sait en particulier que les opérations propositionnelles comportent cette structure, ainsi que la logique des classes en général lorsqu'elle se libère des limites propres aux « groupements » initiaux, d'où la construction de « réseaux ». On voit donc l'unité profonde des quelques nouveautés indiquées jusqu'à ce point.

Mais il en est une autre aussi qui est fondamentale et que l'analyse des faits psychologiques nous avait permis de mettre en évidence vers 1948-49 avant que les logiciens ne s'intéressent de leur côté à cette structure : c'est l'union en un seul « groupe quaternaire » (groupe de Klein) des inversions et réciprocités au sein des combinaisons propositionnelles (ou d'un « ensemble de parties » en général). Au sein des opérations concrètes il existe deux formes de réversibilité : l'inversion ou négation qui aboutit à annuler un terme, par exemple $+A - A = 0$, et la réciprocité ($A = B$ et $B = A$, etc.) qui aboutit à des équivalences donc à une suppression de différences. Mais si l'inversion caractérise les groupements de classes et la réciprocité ceux de relations, il n'existe point encore au niveau des opérations concrètes de système d'ensemble reliant ces transformations en un seul tout. Par contre, au niveau de la combinatoire propositionnelle, toute opération telle que $p \supset q$ comporte une inverse N soit $p.\bar{q}$ et une réciproque R, soit $\bar{p} \supset \bar{q} = q \supset p$, ainsi qu'une corrélative C (soit $\bar{p}.q$ par permutation des disjonctions et des conjonctions dans sa forme normale) qui est l'inverse de sa réciproque. On a alors un groupe commutatif, $NR = C$; $CR = N$; $CN = R$ et $NRC = I$, dont les transformations sont des opérations à la troisième puissance puisque les opérations qu'elles relient ainsi sont déjà de seconde puissance. Ce groupe, dont le sujet n'a naturellement aucune conscience en tant que structure, exprime néanmoins ce qu'il devient capable de faire toutes les fois qu'il distingue une inversion et une réciprocité pour les composer entre elles. Par exemple lorsqu'il s'agit de coordonner deux systèmes de référence, dans le cas d'un mobile A se déplaçant sur un support B, l'objet A

peut rester au même point en référence avec l'extérieur soit par inversion de son mouvement soit par compensation entre ses déplacements et ceux du support : or, de telles compositions ne sont anticipées qu'au présent niveau et impliquent le groupe *INRC*. De même les problèmes de proportionnalité, etc., en partant des proportions logiques inhérentes à ce groupe ($I : N : : C : R$; etc.).

L'ensemble de ces nouveautés, qui permettent enfin de parler d'opérations logico-mathématiques autonomes et bien différenciées des actions matérielles avec leur dimension causale, s'accompagne d'un ensemble corrélatif tout aussi fécond dans le domaine de la causalité elle-même, car, dans la mesure même de cette différenciation s'établissent des rapports de coordination et même d'appui mutuel sur deux paliers au moins et d'une manière qui s'apparente de plus en plus aux procédés de la pensée scientifique elle-même.

Le premier de ces paliers est celui de la lecture même des données de l'expérience physique (au sens large), car (nous y reviendrons au chap. III) il n'existe pas d'expérience pure au sens de l'empirisme et les faits ne sont accessibles qu'assimilés par le sujet, ce qui suppose l'intervention d'instruments logico-mathématiques d'assimilation construisant des relations qui encadrent ou structurent ces faits et les enrichissent d'autant. A cet égard, il va de soi que les instruments opératoires élaborés par la pensée formelle permettent la lecture d'un grand nombre de nouvelles données d'expérience, ne serait-ce qu'en pouvant coordonner deux systèmes de référence. Mais il n'y a pas, en ces cas, de processus à sens unique, car, si une forme opératoire est toujours nécessaire pour structurer les contenus, ceux-ci peuvent souvent favoriser la construction de nouvelles structures adéquates. C'est en particulier le cas dans le domaine des lois à forme proportionnelle, ou de la distributivité, etc.

Si ce premier palier est donc celui des opérations appliquées à l'objet et assurant entre autres l'induction des lois physiques élémentaires, le second palier sera celui de l'explication causale elle-même, c'est-à-dire des opérations attribuées aux objets. A cet égard on observe au présent niveau le même progrès massif dans le domaine de la causalité que dans celui des opérations logico-mathématiques. Au rôle général du possible sur ce dernier terrain correspond au plan physique celui du virtuel, permettant de comprendre que les forces continuent d'intervenir en un état immobile, ou qu'en un système de plusieurs forces chacune conserve son action tout en la composant avec celle des autres ; à ces concepts qui dépassent les frontières de l'observable se rattache même la notion de transmissions purement « internes » sans déplacement molaire des intermédiaires. A la construction d'opérations sur des opérations ou de relations de relations correspondent entre autres les relations nouvelles, du second degré, entre un poids ou une force et des grandeurs spatiales : la densité en général et les relations entre le poids et le volume dans la flottaison, la pression pour ce qui est des surfaces, ou le moment et surtout le travail pour ce qui est de la longueur ou des distances parcourues. Aux schèmes combinatoires et à la structure opératoire de l'ensemble des parties correspondent, d'une part, la notion spatiale d'un continu occupant l'intérieur des surfaces (jusque-là surtout conçues en fonction de leur périmètre) et des volumes : d'où l'importance à ce stade de la considération des volumes (leur conservation lors des changements de forme ne débute qu'à ce niveau), de leurs relations avec le poids et des modèles corpusculaires permettant de les meubler d'éléments inobservables plus ou moins « serrés ». D'autre part à ces schèmes correspondent les débuts de la composition vectorielle des directions, tandis que la compréhension des intensités est assurée par les transformations de la notion de force rendues possibles comme on vient de le voir par l'intervention du virtuel.

Au groupe *INRC* correspond enfin la compréhension d'un ensemble de structures physiques dont celles d'action et de réaction : par exemple le sujet comprendra, en une presse hydraulique, que l'augmentation de densité du liquide choisi s'oppose à la descente du piston, au lieu de la faciliter comme il pensait jusque-là ; ou bien si l'expérimentateur et lui-même enfoncent chacun une pièce de monnaie des deux côtés d'un bloc de pâte il saura prévoir que les profondeurs seront égales parce qu'à des poussées non égales entre elles s'opposent des résistances chaque fois équivalentes. En ces cas tant la prévision des directions opposées (difficile en ce qui concerne le liquide) que l'estimation des forces supposent la différenciation et la coordination des réciprocités et des inversions, donc un groupe isomorphe à *INRC*.

Au total, ce dernier niveau présente un caractère frappant en continuité d'ailleurs avec ce que nous apprend toute la psychogenèse des connaissances à partir des indifférenciations initiales (décrites au § I) : c'est dans la mesure où s'intériorisent les opérations logico-mathématiques du sujet grâce aux abstractions réfléchissantes construisant des opérations sur d'autres opérations et dans la mesure où est finalement atteinte cette extemporanéité caractérisant les ensembles de transformations pos-

sibles et non plus seulement réelles que le monde physique en son dynamisme spatio-temporel, englobant le sujet comme une partie infime parmi les autres, commence à devenir accessible à une lecture objective de certaines de ses lois et surtout à des explications causales obligeant l'esprit à une constante décentration dans sa conquête des objets. En d'autres termes le double mouvement d'intériorisation et d'extériorisation débutant dès la naissance en vient à assurer cet accord paradoxal d'une pensée qui se libère enfin de l'action matérielle et d'un univers qui englobe cette dernière mais la dépasse de toutes parts. Certes la science nous a mis depuis longtemps en présence de ces convergences étonnantes entre la déduction mathématique et l'expérience, mais il est saisissant de constater qu'à des niveaux bien inférieurs à celui de ses techniques formalisantes et expérimentales une intelligence encore très qualitative et à peine ouverte au calcul parvient à des correspondances analogues entre ses essais d'abstraction et ses efforts d'observation tant soit peu méthodiques. Il est surtout instructif de constater que cet accord est le fruit de deux longues séries corrélatives de constructions nouvelles et non pas prédéterminées, en partant d'un état de confusion indifférenciée d'où se sont peu à peu dégagées les opérations du sujet et la causalité de l'objet.

Chapitre II

LES CONDITIONS ORGANIQUES PRÉALABLES (BIOGENÈSE DES CONNAISSANCES)

A vouloir en demeurer aux explications « génétiques » sans recourir au transcendantal, la situation que l'on vient de décrire semble ne pouvoir comporter que trois interprétations. La première consisterait à admettre que, malgré l'opposition apparente des directions suivies par le développement des opérations logico-mathématiques, en leur intériorisation progressive, et par celui de l'expérience et de la causalité physiques en leur extériorisation, leur accord de plus en plus étroit proviendrait néanmoins des informations exogènes fournies par les contraintes du réel et du « milieu ». La seconde reviendrait à attribuer cette convergence graduelle à une source commune qui serait héréditaire, et à chercher ainsi la solution dans le sens d'un compromis entre l'apriorisme et la génétique biologique, à la manière de K. Lorenz, et en considérant alors comme illusoires les apparences de nouveautés sans cesse élaborées que suggère le constructivisme adopté au chapitre précédent. La troisième accepterait aussi l'idée d'une source commune, en considérant la double construction des connaissances logico-mathématiques et physiques dont il s'agit de rendre compte, et surtout la nécessité intrinsèque atteinte par les premières, comme liées également à des mécanismes biologiques préalables à la psychogenèse, mais relevant d'autorégulations plus générales et plus fondamentales que les transmissions héréditaires elles-mêmes, car celles-ci sont toujours spécialisées et leur signification pour les processus cognitifs s'atténue avec l'évolution des organismes « supérieurs » au lieu de se renforcer.

Dans les trois cas, le problème épistémologique est donc à poser maintenant en termes biologiques, ce qui est indispensable dans la perspective d'une épistémologie génétique, car la psychogenèse demeure incompréhensible tant que l'on ne remonte pas à ses racines organiques.

I. — L'empirisme lamarckien

La première des trois solutions précédentes présente une signification biologique évidente. Certes les psychologues (behavioristes, etc.) qui attribuent toutes les connaissances à des apprentissages en fonction de l'expérience, et les épistémologistes (positivisme logique) qui ne voient dans les opérations logico-mathématiques qu'un simple langage destiné à traduire les données de l'expérience sous une forme elle-même tautologique, ne se soucient pas des incidences biologiques que comportent leurs positions. Mais la première des questions qu'il nous faut poser est précisément de savoir s'ils en ont le droit. Celui-ci serait inattaquable si le postulat qu'ils admettent implicitement était fondé : que la connaissance, étant de nature « phénotypique », c'est-à-dire liée au développement somatique des individus, ne relève pas des mécanismes biogénétiques, lesquels concerneraient le seul génome et les transmissions héréditaires. Mais on sait aujourd'hui qu'une telle distinction n'a rien d'absolu, et cela pour de nombreuses raisons dont voici les deux principales. La première est que le phénotype est le produit d'une interaction continue entre l'activité synthétique du génome au cours de la croissance et les influences extérieures. La seconde est que, pour chaque influence du milieu susceptible d'être différenciée et mesurée, on peut déterminer chez un génotype donné sa « norme de réaction » qui fournit l'amplitude et la distribution des variations individuelles possibles : or, les apprentissages cognitifs sont, eux aussi, soumis à de telles conditions et D. Bovet l'a prouvé chez les rats par une double analyse de certaines lignées génétiques et des possibilités bien différentes d'acquisitions sensori-motrices correspondant respectivement à ces diverses hérédités.

Cela dit, l'hypothèse qui rattacherait toute connaissance aux seuls effets de l'expérience correspondrait biologiquement à une doctrine abandonnée depuis longtemps sur ce terrain, non pas parce qu'elle était fausse en ce qu'elle affirmait, mais parce qu'elle négligeait ce qui s'est révélé depuis essentiel à la compréhension des relations entre l'organisme et le milieu : il s'agit de la doctrine lamarckienne de la variation et de l'évolution. Peu après que Hume a cherché l'explication des faits mentaux dans les mécanismes de l'habitude et de l'association, Lamarck voyait également dans les habitudes contractées sous l'influence du milieu le facteur explicatif fondamental des variations morphogénétiques de l'organisme et de la formation des organes. Sans doute parlait-il aussi d'un facteur d'organisation, mais dans le sens d'un pouvoir d'association et non pas de composition, et l'essentiel des acquisitions tenait pour lui à la manière dont les êtres vivants recevaient, en modifiant leurs habitudes, les empreintes du milieu extérieur.

Ces thèses n'étaient certes pas erronées, et, pour ce qui est des influences du milieu, la moderne « génétique des populations » n'a fait en définitive que de remplacer une action causale directe des facteurs extérieurs sur les unités génétiques individuelles (hérédité de l'acquis au sens lamarckien) par la notion des actions probabilistes (sélection) d'un ensemble de facteurs extérieurs sur des systèmes de pluri-unités (coefficients de survie, de reproduction, etc., du pool génétique ou des génotypes différenciés) dont ces facteurs modifient les proportions. Mais ce qui manquait essentiellement à Lamarck étaient les notions d'un pouvoir endogène de mutation et de recombinaison et surtout d'un pouvoir actif d'autorégulation. Il en résulte que quand Waddington ou Dobzhansky, etc., nous présentent aujourd'hui le phénotype comme une « réponse » du génome aux incitations du milieu, cette réponse ne signifie pas que l'organisme ait simplement subi l'empreinte d'une action extérieure, mais qu'il y a eu interaction au sens plein du terme, c'est-à-dire que, à la suite d'une tension ou d'un déséquilibre provoqués par un changement du milieu, l'organisme a inventé par combinaisons une solution originale aboutissant à un nouvel équilibre.

Or, à comparer cette notion de « réponse » à celle dont s'est servi si longtemps le behaviorisme dans son fameux schéma stimulus-réponse ($S \rightarrow R$), on constate avec étonnement que les psychologues de cette école ont conservé un esprit strictement lamarckien et ont ignoré la révolution biologique contemporaine. Il en résulte que les notions de stimulus et de réponse doivent, même si l'on conserve ce langage qui est commode, subir de très profondes réorganisations qui en modifient entièrement l'interprétation. En effet, pour que le stimulus déclenche une certaine réponse, il faut que le sujet et son organisme soient capables de la fournir, la question préalable étant donc celle de cette capacité, qui correspond à ce que Waddington a appelé la « compétence » sur le terrain de l'embryogenèse (où cette compétence se définit par la sensibilité aux « inducteurs »). Au commencement n'est donc pas le stimulus, mais la sensibilité au stimulus et celle-ci dépend naturellement de la capacité de donner une réponse. Le schéma doit donc s'écrire non pas $S \rightarrow R$ mais $S \rightleftarrows R$ ou plus précisément S (A) R où A est l'assimilation du stimulus à un certain schème de réaction qui est source de la réponse (1). Cette modification du schéma $S \rightarrow R$ ne relève nullement d'une simple question de précision ou de conceptualisation théorique : elle soulève ce qui nous paraît être le problème central du développement cognitif. Dans la perspective exclusivement lamarckienne du behaviorisme, la réponse n'est qu'une sorte de « copie fonctionnelle » (Hull) des séquences propres aux stimuli, donc une simple réplique du stimulus : la conséquence en est que le processus fondamental d'acquisition est l'apprentissage conçu sur le mode empiriste de l'enregistrement des données extérieures : si cela était vrai, il s'ensuivrait alors que le développement en son ensemble serait à concevoir comme la résultante

(1) Rappelons que K. H. Pribram a mis en évidence l'existence d'un contrôle cortical (régions associatives) des *inputs* « qui arrange préalablement le mécanisme récepteur de telle sorte que certains *inputs* deviennent des stimuli et que d'autres puissent être négligés » (*Congrès internat. Psychol. Moscou*, vol. XVIII, p. 184). Même le prétendu « arc » réflexe n'est plus considéré comme un arc $S \rightarrow R$ mais constitue un servomécanisme, un « anneau homéostatique à *feedback* ».

d'une suite ininterrompue d'apprentissages ainsi interprétés. Si, au contraire, le fait fondamental de départ est la capacité de fournir certaines réponses, donc la « compétence », il en résulterait inversement que l'apprentissage ne serait pas le même aux différents niveaux du développement (ce que prouvent déjà les expériences de B. Inhelder, H. Sinclair et M. Bovet) et qu'il dépendrait essentiellement de l'évolution des « compétences » : le vrai problème serait alors d'expliquer ce développement et l'apprentissage au sens classique du terme n'y suffirait pas, pas plus que le lamarckisme n'a réussi à rendre compte de l'évolution (voir les vol. VII à X des « Etudes »).

II. — L'innéisme

Si l'hypothèse des apprentissages exogènes a largement dominé les travaux des générations précédentes, on assiste parfois aujourd'hui à un renversement des perspectives, comme si le rejet de l'empirisme de forme lamarckienne (ou ce que les auteurs américains appellent l' « environnementalisme ») conduisait nécessairement à l'innéisme (ou au « maturationnisme »), ce qui revient à oublier qu'entre deux peuvent subsister des interprétations à base d'interactions et d'autorégulations (1).

(1) Il peut être suggestif de noter qu'un disciple bien connu de Hull, D. Berlyne, a fait de moi un « néo-behavioriste » (voir *Psychol. et Epist. génétiques, thèmes piagétiens*, Dunod, 1966, p. 223-234), tandis qu'un autre auteur, H. Beilin, rejetant cette incorporation, me considère alors comme un « maturationniste » et le justifie par mes recours à des constructions endogènes. Or, je ne suis ni l'un ni l'autre, mon problème central étant celui de la formation continuelle de structures *nouvelles*, qui ne seraient préformées ni dans le milieu ni à l'intérieur du sujet lui-même, au cours des stades antérieurs de son développement (voir aussi le vol. XII des « Etudes »).

C'est ainsi que le grand linguiste N. Chomsky a rendu le service à la psychologie de fournir une critique décisive des interprétations de Skinner et de montrer l'impossibilité d'un apprentissage du langage par les modèles behavioristes et associationnistes. Mais il en a conclu que, sous les transformations de ses « grammaires génératrices », on trouvait finalement un « noyau fixe inné » comprenant certaines structures nécessaires telles que la relation de sujet à prédicat. Or, si cela pose déjà un problème, du point de vue biologique, d'expliquer la formation de centres cérébraux rendant simplement possible l'acquisition du langage, la tâche devient encore bien plus lourde s'il s'agit de centres contenant d'avance les formes essentielles de la langue et de la raison. Du point de vue psychologique, d'autre part, l'hypothèse est inutile car, si Chomsky est dans le vrai en appuyant le langage sur l'intelligence et non pas l'inverse, il suffit à cet égard de faire appel à l'intelligence sensori-motrice, dont les structurations, antérieures à la parole, supposent certes une maturation nerveuse, mais bien davantage encore une suite d'équilibrations procédant par coordinations progressives et autorégulations (chap. Ier, sous I).

Avec le célèbre éthologiste K. Lorenz, l'innéité des structures de connaissance est généralisée selon un style qu'il voudrait explicitement kantien : les « catégories » du savoir seraient biologiquement préformées à titre de conditions préalables à toute expérience, à la manière dont les sabots du cheval et les nageoires des poissons se développent dans l'embryogenèse en vertu d'une programmation héréditaire et bien avant que l'individu (ou le phénotype) en puisse faire usage. Mais comme l'hérédité varie d'une espèce à l'autre, il va de soi que, si ces *a priori* conservent la notion kantienne de « conditions préalables », ils sacrifient l'essentiel, qui est la nécessité intrinsèque de telles structures ainsi que leur unité, et Lorenz le reconnaît honnêtement puisqu'il les réduit au rang de simples « hypothèses de travail innées ». On voit ainsi l'opposition complète entre cette interprétation et celle que nous soutenons, selon laquelle les structures de connaissance deviennent nécessaires, mais au terme de leur développement, sans l'être dès le début, et ne comportent pas de programmation préalable.

Or, si l'hypothèse de Lorenz est en complet accord avec le néo-darwinisme orthodoxe, elle fournit un argument de plus en faveur de la condamnation de cette biologie trop étroite. Celle-ci est, en effet, largement dépassée par les vues actuelles de Ch. Waddington sur le « système épigénétique » ou ce que Mayr a appelé depuis l' « épigénotype ». Les notions actuelles sur le phénotype nous présentent, en effet, celui-ci comme le produit d'une interaction indissociable, dès l'embryogenèse, entre les facteurs héréditaires et l'influence du milieu, de telle sorte qu'il est impossible de tracer une frontière fixe (et encore moins au plan des comportements cognitifs) entre ce qui est inné et ce qui est acquis, puisque entre deux se trouve la zone essentielle des autorégulations propres au développement.

En fait, sur le terrain des schèmes cognitifs y compris sensori-moteurs (mais à l'exception de l'instinct sur lequel nous reviendrons), l'hérédité et la maturation se bornent à déterminer les zones des impossibilités ou des possibilités d'acquisition. Mais celle-ci exige alors en plus une actualisation qui comporte elle-même des apports extérieurs dus à l'expérience donc au milieu, et une organisation progressive interne relevant de l'autorégulation. De façon générale, s'il est nécessaire, pour rendre compte des comportements cognitifs (comme d'ailleurs de toute modification de l'organisme), de faire appel à des facteurs endogènes, que néglige l'empirisme, on ne saurait en conclure que tout ce qui est endogène dérive d'une programmation héréditaire, il reste donc à considérer les facteurs d'autorégulations, qui sont également endogènes mais dont les effets ne sont pas innés.

Il y a bien plus encore. En réalité, les autorégulations présentent ces trois caractères réunis de constituer la condition préalable des transmissions héréditaires, d'être plus générales que le contenu de ces dernières et d'aboutir à une nécessité de forme supérieure. Il convient de se rappeler, en effet, que l'on trouve des régulations (avec leurs *feedbacks*, etc.) à tous les niveaux organiques et dès le génome, qui comprend des gènes régulateurs comme des opérants, et qui travaille, ainsi que l'a dit Dobzhansky, à la manière d'un orchestre et non pas d'un ensemble de solistes (cf. la polygénie et le pléiotropisme, c'est-à-dire les correspondances plusieurs à un ou un à plusieurs entre les gènes et ces caractères transmis). De même le « pool génétique » des populations obéit à des lois d'équilibration, comme le montre une expérience classique de Dobzhansky et Spassky. Il est donc clair que certaines des régulations conditionnent déjà la transmission héréditaire et cela sans se transmettre elles-mêmes au sens strict puisqu'elles continuent sans plus à fonctionner. Or, tandis que les caractères transmis varient d'espèce à espèce, quand ce n'est pas d'individu à individu, les régulations présentent une forme bien plus générale. Enfin, alors qu'un caractère se transmet ou ne se transmet pas, par voie héréditaire, ce qui relève du déterminisme et non pas d'une nécessité susceptible d'aboutir à une forme normative, les régulations comportent dès le départ la distinction du normal et de l'anormal avec tendance à faire primer celui-là, et elles aboutissent au plan du comportement à la nécessité normative elle-même pour autant que les opérations constituent le cas limite des régulations (voir chap. Ier, au § IV).

III. — Des instincts à l'intelligence

Mais si le rôle des transmissions héréditaires semble ainsi assez limité dans le développement des fonctions cognitives, il faut mettre à part cette variété particulière de connaissance pratique (de « savoir-faire ») que constituent les instincts. Ceux-ci comportent, en effet, une programmation héréditaire du contenu même des conduites en jeu, en plus de leur forme. Quant à celle-ci, elle est analogue à celle des schèmes sensori-moteurs, à cette différence près qu'ils sont eux-mêmes hérités ainsi que leurs indices déterminants (les *IRM* ou « indices significatifs innés »). On se trouve donc en présence de structures analogues à celles de l'intelligence préverbale, mais fixées en leur innéité, et non point modifiables au gré des constructions phénotypiques : Tinbergen a même pu parler d'une « logique des instincts », et en fait elle consiste en une logique des organes, c'est-à-dire utilisant des instruments inhérents à l'organisme comme tel et non pas fabriqués par une intelligence devenue mobile.

La question est alors de comprendre le passage de l'instinct à l'intelligence, ou, si l'on préfère, le processus de l'éclatement des instincts. A cet égard, le lamarckisme a voulu voir dans les instincts une intelligence qui se serait stabilisée héréditairement (par hérédité de l'acquis), tandis que d'autres auteurs, suivis par la plupart des néo-darwiniens, ont insisté sur les oppositions soi-disant de nature entre le caractère rigide et aveugle, mais infaillible, du premier et les propriétés d'intentionnalité consciente, de souplesse, mais aussi de faillibilité de la seconde. En réalité on a raisonné sur un modèle trop schématisé de l'instinct et il importe de distinguer avec soin trois plans hiérarchisés en toute conduite instinctive. 1) Il y a d'abord ce que l'on pourrait appeler les coordinations générales intervenant en chacune d'elles : l'ordre d'enchaînement des actions, les emboîtements de schèmes, leurs correspondances (par exemple entre les comportements des mâles et des femelles), les vicariances (par exemple les stigmergies de Grassé ou ordre variable dans l'agencement des éléments d'une termitière), etc. 2) Il y a en second lieu la programmation héréditaire du contenu des conduites. 3) Enfin il y a les ajustements individuels aux circonstances multiples et ils s'orientent dans la direction d'une accommodation au milieu ou à l'expérience. Or, ce qui disparaît ou s'atténue lors du passage de l'instinct à l'intelligence, c'est exclusivement le second palier 2), donc la programmation héréditaire des contenus. Au contraire, les formes générales 1) une fois libérées de leur contenu fixe donnent lieu à de multiples constructions nouvelles par abstraction réfléchissante et les adaptations individuelles 3) se développent de leur côté.

En un mot, l'éclatement de l'instinct donne naissance à deux mouvements corrélatifs, quoique de directions distinctes : l'un d'intériorisation (correspondant à 1) dirigé dans le sens logico-mathématique (et, si l'on parle déjà de la logique de l'instinct, sa géométrie est souvent remarquable), l'autre d'extériorisation dans le sens des apprentissages et des conduites orientées vers l'expérience. Un tel double processus, bien que notablement antérieur à ce que l'on observe dans la psychogenèse des connaissances, en rappelle cependant les débuts (chap. Ier, § I), ce qui est naturel après ce que nous avons vu des reconstructions convergentes de palier en palier. Quant aux niveaux phylogénétiques auxquels se produisent ces transformations, il faut sans doute les mettre en relation avec le développement des « voies associatives » du cerveau (= qui ne sont ni afférentes ni efférentes) et il convient à cet égard de rappeler que Rosenzweig et Krech ont démontré avec leurs collaborateurs une croissance effective du cortex (chez des sujets individuels) résultant de l'accumulation des connaissances acquises.

Mais si les instincts constituent ainsi une sorte de préintelligence organique et héréditairement programmée, il reste à rappeler que le recours à l'hérédité ne fait que reculer les problèmes de genèse et ne les tranche en rien, tant que les questions de variation et d'évolution n'auront pas été suffisamment résolues par la biologie. Or on se trouve encore en pleine crise à cet égard. Tandis que Lamarck croyait à l'hérédité de l'acquis et voyait donc dans l'action du milieu l'origine des caractères innés, le néo-darwinisme des débuts de ce siècle (encore bien vivant chez un grand nombre d'auteurs et jusqu'au sein de la théorie actuelle dite « synthétique ») considérait les variations héréditaires comme se produisant sans aucune relation avec le milieu, celui-ci n'intervenant qu'après coup en sélectionnant les plus favorables à la survie. Aujourd'hui par contre ce modèle de simples hasards et sélections apparaît de plus en plus comme insuffisant et tend à être remplacé par des modèles circulaires. D'une part, comme déjà dit, le phénotype apparaît comme une « réponse » du génome aux actions du milieu et L. L. Whyte va jusqu'à attribuer à la cellule un pouvoir de régulation des mutations. D'autre part, la sélection ne porte que sur les phénotypes et émane d'un milieu en partie choisi et modifié par eux. Il existerait donc un ensemble de circuits entre les variations internes (en particulier les recombinaisons) et le milieu, ce qui permet à Waddington d'invoquer une « assimilation génétique » et de parler à nouveau d' « hérédité de l'acquis » sous cette forme non lamarckienne mais dépassant par ailleurs les modèles simplistes du néo-darwinisme. On voit ainsi que, sur le terrain de la biogenèse des structures cognitives, le recours à l'hérédité revient tout d'abord à déplacer les problèmes de genèse quant aux apports respectifs de l'organisation interne et du milieu, mais semble à nouveau nous orienter vers les solutions d'interaction.

IV. — Les autorégulations

De façon générale, les racines biologiques de ces structures et l'explication du fait qu'elles deviennent nécessaires seraient donc à chercher dans la direction ni d'une action exclusive du milieu, ni d'une préformation à base de pure innéité, mais des autorégulations avec leur fonctionnement en circuits et leur tendance intrinsèque à l'équilibration (vol. XXII et II des « Etudes »).

La première raison positive justifiant cette solution, sans plus parler des difficultés inhérentes aux deux autres, est que les systèmes régulateurs se retrouvent sur tous les paliers du fonctionnement de l'organisme, dès le génome et jusqu'au comportement, et paraissent donc tenir aux caractères les plus généraux de l'organisation vitale. Qu'il s'agisse, en effet, de ce qu'au plan du génome Lerner (1955), après Dobzhansky et Wallace (1953), appelle une « homéostasie génétique », des régulations structurales de la blastula, de cette équilibration dynamique propre aux embryogenèses nommée « homéorhésis » par Waddington, des multiples homéostasies physiologiques réglant le milieu intérieur, des non moins nombreuses régulations du système nerveux (y compris, comme déjà dit, les *feedbacks* du réflexe lui-même) et finalement des régulations et équilibrations observables à tous les niveaux des comportements cognitifs, l'autorégulation semble bien constituer à la fois l'un des caractères les plus universels de la vie et le mécanisme le plus général qui soit commun aux réactions organiques et cognitives.

En second lieu la fécondité particulière des interprétations fondées sur l'autorégulation est qu'il s'agit d'un fonctionnement constitutif de structures et non pas de structures toutes faites au sein desquelles il suffirait de chercher celles qui contiendraient d'avance à l'état préformé telle ou telle catégorie de la connaissance. Si, comme K. Lorenz, on voulait justifier par l'hérédité le caractère préalable des formes générales de la raison, cela reviendrait par exemple à dire que le nombre est une « idée innée ». Mais alors où s'arrêter ? Faut-il admettre que les protozoaires ou les spongiaires contiennent déjà le nombre en leur patrimoine génétique ? Et s'ils possèdent le nombre, ne s'agit-il que des nombres « naturels » ou faut-il en outre penser qu'« en puissance » il y a là le germe des correspondances transfinies, avec les « aleph » et tous les « omégas » de Cantor ? Expliquer la formation des opérations logico-mathématiques, en remontant jusqu'aux autorégulations organiques, ne revient au contraire qu'à chercher comment ont pu se former les instruments élémentaires de construction qui ont permis la constitution des premières étapes de l'intelligence sensori-motrice, et comment ces instruments eux-mêmes ont pu se modifier par de nouvelles régulations jusqu'à conduire à des étapes ultérieures, etc. Or, les régulations organiques nous fournissent déjà l'image de reconstructions indéfinies, de palier en palier, sans que les formes supérieures soient contenues d'avance dans les inférieures, leur liaison ne consistant qu'en un fonctionnement analogue ayant rendu possibles de nouvelles constructions. Autrement dit la multiplicité des formes de régulations jointe à cet existence de certains fonctionnements communs constitue comme une préfiguration de ce que l'on observe au plan du comportement où se retrouve cette succession de structures animées par un fonctionnement autorégulateur continu. Le passage final des régulations après coup aux opérations avec leurs régulations anticipées ou « parfaites » ne devient ainsi qu'un maillon dans la chaîne ininterrompue des circuits, qu'il serait arbitraire de faire débuter avec le réflexe ou tel autre point de départ des conduites élémentaires, puisqu'on retrouve d'autres chaînons à tous les étages de l'organisme.

A reprendre ce processus en suivant l'ordre inverse, il semble en effet incontestable que les opérations logico-mathématiques sont préparées par les tâtonnements et leurs régulations du niveau de la représentation préopératoire. A continuer l'analyse régressive il paraît évident que le point de départ de ces constructions, au plan du comportement, n'est pas le langage, mais qu'aux niveaux sensori-moteurs on en trouve les racines dans les coordinations générales des actions (ordre, emboîtements, correspondances, etc.). Mais il est clair que ces coordinations ne constituent pas un commencement absolu et qu'elles supposent les coordinations nerveuses. A ce plan, les célèbres analyses de McCulloch et Pitts ont d'ailleurs mis en évidence un isomorphisme entre les transformations inhérentes aux connexions synaptiques et les opérateurs logiques, sans que naturellement cette « logique des neurones » contienne d'avance celle des propositions au plan de la pensée puisqu'il faut 11 à 12 ans de constructions par abstractions réfléchissantes pour atteindre ce palier. Quant aux coordinations nerveuses, c'est alors l'affaire de la biologie que de montrer leurs relations avec les régulations organiques de tous les niveaux.

Reste le problème des relations entre le sujet et les objets, ainsi que de l'accord surprenant des opérations logico-mathématiques et de l'expérience puis de la causalité physiques. A cet égard, la solidarité de la psychogenèse et de la biogenèse des instruments cognitifs semble fournir une solution presque contraignante : si l'organisme constitue le point de départ du sujet avec ses opérations constructives, il n'en demeure pas moins un objet physico-chimique parmi les autres, et obéissant à leurs lois même s'il en ajoute de nouvelles. C'est donc par l'intérieur même de l'organisme et non pas (ou pas seulement) par le canal des expériences extérieures que se fait la jonction entre les structures du sujet et celles de la réalité matérielle. Cela ne signifie nullement que le sujet en ait conscience ni qu'il comprenne la physique en se voyant agir manuellement, manger, respirer, regarder ou écouter ; mais cela revient à dire que ses instruments opératoires sont nés, grâce à l'action, au sein d'un système matériel qui a déterminé leurs formes élémentaires. Cela ne signifie pas non plus que de tels instruments sont limités d'avance et asservis à la matière, puisqu'en s'ouvrant sur le monde intemporel des possibles et de l'inobservable ils la dépassent de toutes parts. Mais cela traduit le fait que, là où l'apriorisme était obligé de recourir à une harmonie « préétablie » entre l'univers et la pensée (on en retrouve l'affirmation jusque chez Hilbert), il s'agit en réalité d'une harmonie « établie » et même très progressivement par un processus qui débute dès les racines organiques pour se prolonger indéfiniment.

CHAPITRE III

RETOUR AUX PROBLÈMES ÉPISTÉMOLOGIQUES CLASSIQUES

Après avoir retracé la genèse des connaissances, il s'agit de chercher si les résultats de cette analyse comportent quelque application à la solution des grandes questions de l'épistémologie générale, comme c'est l'ambition de l'épistémologie génétique d'y parvenir.

I. — Epistémologie de la logique

Etant entendu une fois pour toutes que la logique procède par axiomatisation et doit ainsi éviter tout « psychologisme » ou passage du fait à la norme (ce qui a été le cas de plusieurs logiques non formalisées et ce que Cavaillès puis Beth ont encore reproché à la phénoménologie), il demeure néanmoins trois problèmes fondamentaux que l'étude génétique est susceptible d'éclairer : quels sont les rapports entre les procédés mêmes de la formalisation et ceux de la pensée « naturelle », de quoi la logique est-elle la formalisation et pourquoi cette dernière rencontre-t-elle des limites, au sens où l'a montré Gödel ?

A) Le mathématicien Pasch a soutenu que les démarches de la formalisation s'orientent en sens contraire des tendances spontanées de la pensée naturelle. Si l'on se borne à caractériser celle-ci par le contenu de la conscience des sujets, il va de soi qu'il a raison, puisque la pensée ordinaire tend à aller de l'avant, alors que la formalisation consiste en un effort rétroactif pour déterminer les conditions nécessaires et suffisantes de toutes les assertions et pour dégager explicitement tous les intermédiaires et toutes les conséquences. Par contre, si l'on se place au point de vue du développement et de la construction progressive des structures, indépendamment de la conscience qu'en prend le sujet, il semble que cette construction consiste précisément à dissocier les formes des contenus et à élaborer de nouvelles formes par abstraction réfléchissante à partir de celles de niveau inférieur : à cet égard, la formalisation du logicien apparaît plutôt comme le prolongement supérieur d'un tel mouvement d'ensemble que comme orienté en sens opposé ; mais c'est avec une nouveauté essentielle en plus.

En effet, si l'axiomatisation repose sur certains processus d'abstraction réfléchissante, elle y ajoute une liberté de plus en plus grande de manœuvre. L'abstraction en question est évidente lorsque le logicien tire de sa propre pensée certains principes élémentaires, comme ceux d'identité, de non-contradiction et de tiers exclus. Mais il ne s'en tient pas là, et l'histoire même de l'axiomatisation montre que, à partir d'un niveau où, comme chez Euclide, les axiomes devaient encore demeurer intuitifs et évidents (et consister donc en de simples emprunts à la pensée naturelle), l'abstraction rétroactive s'est promue au rang d'activité différenciée qui, devenant consciente de ses buts et les généralisant, a acquis ce pouvoir nouveau d'assurer des fondements à des théories de moins en moins intuitives (les géométries non euclidiennes ont marqué un tournant essentiel à cet égard). Ainsi spécialisée de par ses fonctions mêmes, la formalisation s'est alors donné le droit de choisir ses axiomes en toute liberté, selon ses besoins, sans plus s'en tenir aux seuls éléments fournis par la pensée naturelle. Plus précisément, si l'on distingue au sein de l'abstraction réfléchissante la « réflexion » au sens quasi géométrique de la projection de certaines liaisons antérieures sur un nouveau plan de pensée et la « réflexion » au sens noétique d'une réorganisation nécessitée par la reconstruction de ces liaisons sur ce nouveau plan, ce second aspect l'emporte de plus en plus sur le premier et les reconstructions procèdent alors par recombinaisons de plus en plus mobiles et par combinaisons de plus en plus libres : d'où, par exemple, le droit de construire des logiques trivalentes différentes mais encore proches de la pensée commune, ou à une infinité de valeurs s'éloignant considérablement des intuitions du tiers exclu.

En un mot, la formalisation constitue bien, du point de vue génétique, un prolongement des abstractions réfléchissantes déjà à l'œuvre dans le développement de la pensée, mais un prolongement qui, par les spécialisations et les généralisations dont il se rend maître, acquiert une liberté et une fécondité combinatoire dépassant largement et de toutes parts les bornes de la pensée naturelle, selon un processus analogue à ceux (chap. Ier, fin du § VI) selon lesquels les possibles en arrivent à faire éclater le réel.

B) D'où notre second problème : de quoi la logique

formelle est-elle l'axiomatisation ? Dans l'histoire des mathématiques, une théorie formalisée constitue presque toujours la formalisation d'une théorie intuitive ou « naïve » antérieure. En logique, cependant, on n'en saurait dire autant et pourtant on voit mal comment un système axiomatisé comporterait un commencement absolu, puisque les propositions indémontrées choisies comme axiomes et les notions indéfinissables servant à définir les concepts subséquents englobent, les premières comme les secondes, tout un monde de liaisons implicites. D'autre part, dès la position des éléments, comme l' « ensemble des parties » formé des seize combinaisons possibles entre les propositions p et q (ou leur table de vérités), interviennent des opérations antérieures au système, ici une combinatoire, permettant de conférer à celui-ci une structure algébrique d'ensemble, telle l'algèbre de Boole ou son réseau distributif complémenté.

Une première solution consisterait à supposer que la logique est une axiomatisation de la connaissance des objets, au sens de cette « physique de l'objet quelconque » admise par Spencer (abstraction à partir des formes ou des relations entre les objets, « indépendamment des termes » donc de leurs propriétés quantitatives ou physiques particulières) et en partie par Gonseth. Mais l'objet physique est situé dans le temps et se transforme sans cesse, de telle sorte que quand ce second auteur parle de son identité ($A = A$), de sa non-contradiction (il ne peut pas à la fois être et ne pas être A) ou du tiers exclu (A ou non-A), il ne s'agit précisément plus d'objets matériels qui changent toujours quelque peu et échappent ainsi partiellement à ces règles, mais bien des *actions effectuées sur des objets quelconques*, ce qui ne revient pas au même, puisque ces actions préfigurent les opérations du sujet.

Si nous cherchons alors du côté du sujet, on pourrait d'abord faire de la logique un langage et le rattacher, avec le positivisme actuel, à une syntaxe et à une sémantique générales : en ce cas, la logique ne constituerait plus une connaissance proprement dite, mais une pure forme dont l'axiomatisation se bornerait à dégager les propriétés analytiques ou tautologiques. Mais l'examen génétique, appuyé par les résultats de la linguistique de Chomsky, montre que l'intelligence précède le langage et que cette intelligence préverbale comporte déjà une logique, mais de coordination des schèmes d'actions (réunions, emboîtements, ordre, correspondances, etc.). En second lieu, une des « Etudes » de notre Centre (vol. IV) a pu confirmer génétiquement le bien-fondé des critiques de W. Quine à ce qu'il appelait l'un des « dogmes » de l'empirisme logique : la distinction radicale des jugements analytiques et synthétiques. En réalité, on trouve tous les intermédiaires entre deux et toutes les liaisons commencent par être synthétiques pour devenir en certains cas analytiques selon les « compréhensions » (intentions attribuées par le sujet aux concepts ou opérations qu'il utilise, par exemple le $+$ dans $2 + 3 = 3 + 2$). En effet, toute connaissance débute aux niveaux élémentaires par une expérience, mais on peut distinguer dès le départ les expériences physiques avec abstractions tirées de l'objet et les expériences logico-mathématiques avec abstractions réfléchissantes tirées des coordinations entre les actions du sujet (telles que d'imposer un ordre aux objets ou le modifier pour vérifier que $2 + 3 = 3 + 2$). Il s'ensuit, quant à la prétendue « tautologie » caractérisant la logique, qu'elle est certes fondée s'il ne s'agit que de spécifier la propriété « toujours vraie » de certaines opérations, mais le « toujours vrai » ne se réduit nullement à l'identité puisqu'il peut résulter d'une combinatoire, qui est un processus de diversification autant que d'identifications. En outre, tout système formalisé repose sur des axiomes dont les trois conditions de choix sont d'être suffisants, compatibles entre eux et tous distincts, c'est-à-dire non tautologiques l'un par rapport à l'autre.

Si la logique est donc bien plus que l'axiomatisation d'un langage, faut-il alors conclure sans plus qu'elle formalise la « pensée » naturelle ? Oui et non : ce n'est nullement exact si l'on désigne sous ce terme la pensée consciente du sujet, avec ses intuitions et ses sentiments d'évidence, car ceux-ci varient au cours de l'histoire (Bernays) et du développement, et sont loin de suffire à « fonder » une logique. Par contre, si l'on dépasse les observables et que l'on cherche à reconstituer les structures, non pas de ce que le sujet sait dire ou penser consciemment, mais de ce qu'il sait « faire » au moyen de ses opérations lors de la solution des problèmes nouveaux pour lui, alors on se trouve en présence de structures logicisables, tel le groupe *INRC* dont l'observation des conduites nous a permis en 1949 de découvrir l'existence (voir chap. Ier, sous § VI). En ce sens particulier et limité des structures naturelles rien n'empêche alors de considérer que la logique a consisté à les formaliser tout en les dépassant ensuite librement, comme l'arithmétique scientifique est partie des « nombres naturels » tout en les complétant de façon de plus en plus riche. La logique d'Aristote fournit d'ailleurs un exemple de ces passages entre les structures naturelles et la reconstruction formalisante, et un passage fort instructif puisqu'il montre que le

Stagirite n'a pas été conscient de tout ce qu'auraient pu lui offrir ces structures de départ (il n'a pas vu l'existence de la logique des relations ni des structures d'ensemble) : l'abstraction réfléchissante nécessaire à la formalisation, et même à cette semi-formalisation intuitive qu'était la syllogistique, procède donc bien par reconstructions avec décalages et donc paliers par paliers, ce qui permet (par cela même, mais ensuite) tous les dépassements. Dire que la logique est une formalisation des structures opératoires naturelles n'exclut donc en rien que cette axiomatisation engendre, comme on l'a vu sous A, une forme de pensée spécialisée acquérant sa liberté et sa fécondité propres (voir pour ces problèmes A et B les vol. XIV à XVI des « Etudes »).

C) Or, ce qui est hautement instructif quant aux rapports entre la formalisation et le développement psychogénétique des structures naturelles est que la première, si libre et conquérante soit-elle, a rencontré à un moment donné ses propres limites (Gödel, Tarski, Church, Kleene, Turing, Löwenstein-Skolem, etc.). Bien que celles-ci soient vicariantes et reculent donc au fur et à mesure des constructions, elles n'en existent pas moins toujours en ce sens qu'une théorie formelle assez riche ne saurait assurer par ses propres moyens sa propre non-contradiction, ni le caractère décidable de tous ses théorèmes, et a besoin pour y parvenir de s'appuyer sur un système plus « fort ». Or, comme la construction de cette structure plus forte ne peut que suivre la précédente (exemple l'arithmétique transfinie par rapport à l'arithmétique élémentaire) et que la plus simple de l'échelle se trouve être la plus faible (ici la logique des *Principia* par rapport à l'arithmétique élémentaire), on se trouve en présence de deux faits fondamentaux dont la parenté avec les perspectives génétiques paraît vraisemblable : l'existence d'une hiérarchie dans la « force » des structures et la nécessité d'un constructivisme, puisque le système des structures n'est plus comparable à une pyramide statique reposant sur sa base, mais l'est à une spirale s'élargissant sans fin en hauteur.

Cela dit, comment expliquer ces frontières vicariantes de la formalisation ? L'analogie qu'on vient de soupçonner avec la construction génétique suggère une solution : c'est que les notions de forme et de contenu sont essentiellement relatives et qu'une forme ou une structure formelle ne saurait donc acquérir d'autonomie complète. Sur le terrain du développement cela est évident : les structures sensori-motrices sont des formes par rapport aux mouvements simples qu'elles coordonnent, mais des contenus par rapport aux actions intériorisées et conceptualisées du niveau suivant ; les opérations « concrètes » sont des formes par rapport à ces dernières actions, mais des contenus eu égard aux opérations déjà formelles du niveau de 11-15 ans ; celles-ci ne sont que des contenus par rapport aux opérations portant sur elles aux niveaux ultérieurs. De même, dans l'exemple choisi par Gödel, l'arithmétique élémentaire est une forme qui subsume à titre de contenu la logique des classes et des relations (le nombre étant une synthèse de l'inclusion et de l'ordre : chap. Ier, § V) et elle constitue elle-même un contenu (en tant que puissance du dénombrable) dans l'arithmétique transfinie.

Or, s'il en est ainsi, on comprend qu'une forme demeure nécessairement limitée, c'est-à-dire ne pouvant assurer sa propre consistance sans être intégrée en une forme plus large puisque son existence même demeure subordonnée à l'ensemble de la construction dont elle constitue un moment particulier. Pour prendre un exemple moins technique que celui du nombre, on peut dégager au niveau des opérations concrètes certains rapports implicites entre la classification et la sériation : la suite des inclusions des classes primaires (par opposition à A', B', C', etc.) d'une classification $A + A' = B$, $B + B' = C$, etc., est une sériation ($A < B < C \dots$) et réciproquement on peut grouper de cette manière les termes d'une série (le premier est inclus dans la classe des deux premiers, qui le sont dans celle des trois premiers, etc.). Néanmoins, tant que n'est pas construit le groupe *INRC* on ne saurait réunir en un système formel unique coordonnant les inversions et réciprocités ces deux sortes de groupements de classes et de relations : leur formalisation ne saurait ainsi que demeurer incomplète tant que ne s'est pas effectuée leur intégration en une structure plus « forte ».

Au total, ces quelques remarques suffisent sans doute à montrer que la discussion des grands problèmes de l'épistémologie de la logique (en les distinguant soigneusement de la technique même du logicien dans la démonstration des théorèmes, où la psychogenèse n'a évidemment rien à voir) ne saurait perdre et peut éventuellement gagner à faire une part aux considérations génétiques.

II. — Epistémologie des mathématiques

Lorsque Kronecker appelait les « nombres naturels » un cadeau du Bon Dieu, tout le reste ayant été fabriqué par les hommes, il réservait d'emblée cette part à la genèse préscientifique, mais sans apercevoir suffisamment que celle-ci, analysable dans les sociétés « primitives », chez l'enfant et autres représentants du Bon Dieu (n'oublions pas les perruches d'Otto Kohler), était de nature assez analogue au travail ultérieur des mathématiciens eux-mêmes : les correspondances bi-univoques introduites par Cantor pour fonder la théorie des ensembles sont connues depuis un temps immémorial dans le troc (échange un contre un) et leur formation peut être suivie de près chez l'enfant et même certains vertébrés supérieurs. Les trois « structures mères » des Bourbaki s'observent sous des formes élémentaires, mais distinctes, dès le stade des opérations concrètes de l'enfant (vol. XIV des « Etudes ») ; et l'on peut parler des « catégories » de McLane et Eilenberg dès le niveau des « fonctions constituantes » (chap. Ier, § III), en un sens trivial mais qui montre la généralité de cette structure fondamentale (une classe d'objets avec les fonctions qu'ils comportent et leurs compositions limitées : voir le vol. XXIII des « Etudes »).

Cela dit, les trois problèmes principaux et très classiques de l'épistémologie des mathématiques sont de comprendre pourquoi elles sont indéfiniment fécondes tout en partant de concepts ou d'axiomes peu nombreux et relativement pauvres ; pourquoi elles s'imposent de façon nécessaire et demeurent donc constamment rigoureuses, malgré leur caractère constructif qui pourrait être source d'irrationalité ; et pourquoi elles s'accordent avec l'expérience ou la réalité physiques malgré leur nature entièrement déductive.

A) Nous considérerons la fécondité des mathématiques comme admise, ayant déjà écarté l'interprétation tautologique sur le terrain logique. D'ailleurs la conception tautologique des mathématiques n'est qu'une hypothèse assez verbale, car, si on l'admettait, il resterait à expliquer pourquoi l'on peut dire depuis vingt-cinq siècles les mêmes choses sous des formes indéfiniment nouvelles et toujours imprévues. Il y a donc là un problème et qui est génétique autant qu'historico-critique, car les nouveautés continuelles engendrées par le travail des mathématiques ne sont ni des découvertes, puisqu'il s'agit de réalités non données d'avance, ni des inventions, puisqu'une invention comporte une marge appréciable de liberté, tandis que chaque nouvelle relation ou structure mathématique se caractérise par sa nécessité sitôt qu'elle est construite : cette « construction nécessaire » soulève donc la question de son mécanisme constitutif. Or, l'intérêt de la dimension génétique est de montrer sur ce point une certaine convergence entre ce qu'en disent les mathématiciens et ce que révèle l'analyse des stades élémentaires, d'où les hypothèses possibles sur les racines psychologiques et même biologiques de telles constructions.

La réponse des mathématiciens revient de façon générale à attribuer les nouveautés à la possibilité d'introduire indéfiniment des opérations sur des opérations. Sitôt construits deux ensembles E et F (ce qui revient déjà à réunir opératoirement des objets), on peut « appliquer » un x en E sur un (et un seul) y en F, d'où une opération fonctionnelle pouvant être bi-univoque (dans le cas d'un seul x) ou non (plusieurs x pour un y). On peut constituer le produit $E \times F$ de ces deux ensembles, ou au contraire leur ensemble-quotient, par une partition fondée sur une relation d'équivalence (par exemple l'ensemble des hommes par la relation « concitoyens » donnant l'ensemble des nations). On peut de même tirer combinatoirement de chaque ensemble son « ensemble des parties », ou, en répétant les opérations, obtenir une échelle d'ensembles de base E, F. On peut surtout, indépendamment de la nature des ensembles de base, construire des « structures » en dégageant des propriétés communes grâce aux opérations effectuées sur ces ensembles et ces structures peuvent alors être comparées entre elles au moyen de théories qui seront univalentes s'il y a isomorphisme (telles la géométrie euclidienne et la théorie des nombres réels), sinon multivalentes (groupes et topologie) (1). Les mathématiques entières peuvent donc se traduire en termes de construction de structures et une telle construction demeure indéfiniment ouverte. Le signe le plus éloquent de cette sorte de dégel, qui a marqué l'extension extraordinaire des mathématiques récentes, est le nouveau sens qu'a pris le terme d' « êtres » mathématiques : cessant de constituer des sortes d'objets idéaux donnés une fois pour toutes en nous ou au-dehors, donc cessant de présenter un sens ontologique, ils changent sans cesse de fonction en changeant de niveau, une opération portant sur de tels « êtres » devenant à son tour objet de la théorie, et ainsi de suite jusqu'aux structures alternativement structurantes ou structurées par des structures plus fortes ; tout peut donc devenir un « être », selon l'étage, et relève ainsi de cette relativité des formes et des contenus déjà indiquée au § I (sous C).

Or, malgré l'irrévérence qu'il peut sembler y avoir à comparer un mathématicien et un enfant, il est difficile de nier qu'il existe quelque parenté entre cette continuelle construction intentionnelle et réfléchie d'opérations sur des opérations et les premières synthèses ou coordinations inconscientes permettant la construction des nombres ou des mesures, des additions ou multiplications, des proportions, etc.

(1) Voir A. Lichnerowicz, in *Logique et connaissance scientifique* (Encycl. Pléiade), p. 477.

Le nombre entier lui-même, en tant que synthèse de l'inclusion des classes et de l'ordre sérial peut déjà être considéré comme le résultat de l'une de ces opérations effectuée sur d'autres ; il en est de même de la mesure (partition et déplacement). La multiplication est une addition d'additions, les proportions des équivalences appliquées à deux rapports multiplicatifs, la distributivité une suite de proportions, etc. Mais même avant la constitution des premiers êtres mathématiques, le processus de l'abstraction réfléchissante, dont les exemples précédents représentent des formes déjà évoluées, est constamment à l'œuvre dans la formation même des notions et opérations de départ : or, elle consiste toujours à introduire de nouvelles coordinations sur ce qui est tiré des formes antérieures, ce qui est déjà une manière d'opérations sur des opérations. Par exemple la réunion de classes distinctes en vue d'une classification est à la fois préparée par la réunion des individus en classes et ajoutée à celle-ci en tant qu'opération nouvelle qui intègre les précédentes en les enrichissant. De même pour la transitivité, etc.

B) Pour ce qui est maintenant de la rigueur ou de la nécessité des structures progressivement construites, E. Meyerson, qui voulait réduire le travail de la raison au seul processus de l'identification, a eu le « courage philosophique » de soutenir que dans la mesure même où les mathématiques engendrent du nouveau, c'est qu'elles l'empruntent au réel et deviennent de ce fait partiellement irrationnelles. En effet, selon cet auteur, l'identité seule atteint l'évidence, tandis que le « divers » dépasse la raison : les opérations elles-mêmes seraient donc déjà à concevoir comme étant en partie tirées du réel, puisque prolongeant les actions, et elles introduisent de ce fait un irrationnel ne pouvant que s'accroître avec la multiplication des constructions. L'intérêt de telles thèses est qu'elles impliquent une sorte de proportion inverse entre la fécondité et la rigueur, mais en un sens différent de celui du positivisme logique, pour lequel les tautologies caractérisant toutes les mathématiques comportent à la fois le *maximum* de rigueur et le *minimum* de nouveauté. Meyerson est en outre plus conséquent que Goblot pour lequel les constructions opératoires expliquant la fécondité ne sont réglées que par les « propositions antérieurement admises » : or, ou bien celles-ci contiennent d'avance le produit des constructions, et il n'y a pas de nouveautés, ou bien elles ne l'impliquent pas et alors comment le règlent-elles, car il ne suffit pas d'une non-contradiction entre les structures antérieures et nouvelles pour que ces dernières s'imposent avec nécessité ?

En réalité, le fait remarquable et presque paradoxal qu'il s'agit d'expliquer est que fécondité et nécessité vont toujours de pair : personne ne saurait nier que l'essor étonnant des mathématiques dites « modernes » est marqué par les deux progrès corrélatifs d'une constructivité renforcée et d'une rigueur accrue. C'est donc à l'intérieur même de la construction des structures qu'il faut chercher le secret de cette « nécessité intrinsèque » (selon l'expression jadis employée par P. Boutroux). De plus il semble légitime de distinguer deux paliers de nécessité, en distinguant, selon la profonde remarque de Cournot, les démonstrations simplement logiques et celles qui fournissent la « raison » des conséquences à démontrer : les premières ne consistent, en effet, qu'à faire apercevoir comment les conclusions découlent des prémisses parce que déjà contenues en leur réunion, tandis que les secondes dégagent une sorte de loi de composition conduisant aux conclusions, ce qui revient à nouveau à concilier la constructivité et la rigueur.

Un exemple particulièrement évident est celui des raisonnements par récurrence, qui appuient la démonstration sur la suite entière des nombres, ce qui revient à rendre compte d'une propriété particulière, à l'intérieur d'une structure, par les lois de totalité et l'autoréglage de cette structure. Signalons à cet égard une analogie génétique assez frappante (« Etudes », vol. XVII) : tandis que la synthèse de l'inclusion et de l'ordre qui constitue le nombre et n'assure la conservation des ensembles numériques que vers 7-8 ans, on trouve dès 5 ans 1/2 des sujets qui, en mettant d'une main une perle dans un bocal visible et de l'autre main une perle dans un récipient masqué par un écran, prévoient l'égalité indéfinie de ces deux collections ; « quand on sait pour une fois, on sait pour toujours » disait ainsi un enfant de 5 ans échouant aux questions de conservation en d'autres épreuves (car le fait d'ajouter chaque fois une perle équivaut à une suite d'emboîtements et la succession des gestes comporte d'elle-même un ordre, d'où une synthèse locale et momentanée de l'inclusion et de l'ordre).

En un mot, si la multiplication des structures atteste la fécondité, leurs lois de composition internes (par exemple la réversibilité $P.P^{-1} = 0$, source de non-contradiction) ou externes (morphismes interstructuraux) assurent leur nécessité du seul fait des fermetures issues de leur autoréglage (voir du point de vue génétique l'exemple de la transitivité : chap. I, § IV). Mais il convient sans doute de distinguer à cet égard des degrés dans la structuration. On peut ainsi appeler « classes faiblement structurées » celles dans lesquelles il n'existe pas de loi de composition permettant de passer des caractères du tout à ceux d'une partie (par exemple des Invertébrés aux Mollusques), ou de ceux d'une partie à ceux d'une autre (des Mollusques aux Cœlentérés), et « classes fortement structurées » celles qui comportent de telles transformations bien réglées (par exemple, un groupe et ses sous-groupes). Cette distinction déjà valable au plan génétique s'apparente probablement à la notion de la plus ou moins grande « force » des structures, qui s'impose depuis les travaux de Gödel. Il n'est même pas exclu que l'on puisse à cet égard distinguer des degrés dans la contradiction : il nous paraît, par exemple, plus contradictoire d'admettre $n - n \neq 0$ que de poser pour une classe qualitative peu structurée $A - A \neq 0$. En tout cas, on démontre en arithmétique l'identité de toutes les classes nulles, tandis qu'une absence de pommes de terre n'équivaut pas à celle d'épinards (1).

C) Quant aux relations entre les mathématiques et la réalité, relevons d'abord qu'en celle-ci tout semble être mathématisable, au sens sinon toujours de la mesure du moins des isomorphismes et des mises en structures. Sans doute n'est-ce là qu'un postulat, mais dont les succès ont été jusqu'ici croissants, même dans les domaines encore résistants comme ceux des phénomènes vitaux. Bien plus, on a souvent insisté sur les anticipations surprenantes selon lesquelles des structures opératoires construites déductivement sans aucun souci d'appli-

(1) On connaît l'histoire du patron de restaurant un peu trop logicien qui refusait de servir un « bifteck sans pommes de terre » parce que justement il n'en avait pas ce jour-là, mais offrait en consolation à son client un « bifteck sans épinards » parce qu'il aurait pu disposer effectivement de ceux-ci.

cations ont pu servir après coup de cadres ou d'instruments explicatifs pour des phénomènes physiques découverts bien plus tard : la théorie de la relativité et la physique nucléaire en fournissent maints exemples.

La solution que les recherches génétiques suggèrent à cet égard est que, comme déjà vu, si les structures élémentaires procèdent des coordinations générales de l'action et celles-ci des coordinations nerveuses, c'est jusqu'aux coordinations organiques et biophysiques qu'il faut remonter pour atteindre leurs sources, la jonction entre les opérations du sujet et les structures de l'objet étant donc à chercher à l'intérieur même de l'organisme, avant de pouvoir être confirmée par les rencontres entre la déduction et l'expérience externe. Puisque, de façon générale, « la vie est créatrice de formes » ainsi que le disait Brachet (et en un sens déjà Aristote lui-même), la convergence des formes matérielles du monde physique dont fait partie l'organisme et des formes intemporelles construites par le sujet paraît en principe compréhensible.

Ce qui l'est moins est que la continuité des filiations ne se soit pas perdue en route puisque, entre les structures organiques de départ et celles des opérations formelles de l'esprit, s'intercale une série extrêmement longue et complexe de reconstructions avec convergences d'un palier à l'autre au plan de l'organisme et d'abstractions réfléchissantes avec nouvelles réorganisations au plan du comportement. Mais, contrairement aux apprentissages exogènes et aux théories fondées sur l'expérience, le propre des structures logico-mathématiques est de ne jamais mettre en cause celles qui les ont précédées, mais de les dépasser en les intégrant à titre de sous-structures, les imperfections initiales ne tenant qu'aux frontières trop étroites des formes de départ. C'est un phénomène du même genre qui assure la continuité des formes générales de coordination.

En revanche, le problème subsiste de comprendre en quoi consistent, lorsque le sujet devient capable à la fois de raisonnements et d'expériences, les échanges entre les mathématiques s'orientant vers la seule déduction et le détail des données de l'expérience. En fait, les premières démarches mathématiques peuvent paraître empiriques : réunir ou dissocier les éléments d'un boulier, vérifier la commutativité par la permutation des sous-collections, etc. Mais, contrairement à l'expérience physique où l'information est tirée des caractères appartenant en propre à l'objet, la lecture de ces « expériences logico-mathématiques » ne porte alors que sur les propriétés introduites par l'action dans l'objet (réunions, ordre, etc.) : il est alors naturel que ces actions, une fois intériorisées en opérations, puissent être exécutées symboliquement et donc déductivement, et que, dant la mesure où les multiples structures opératoires s'élaborent en partant de ces formes élémentaires, leur accord avec les « objets quelconques » demeure assuré en ce sens qu'aucune expérience physique ne saurait les démentir puisqu'elles tiennent aux propriétés des actions ou opérations et non pas des objets. Rappelons qu'une mention spéciale doit être faite à cet égard des opérations spatiales, qui relèvent à la fois des structures du sujet avec abstractions réfléchissantes et de l'expérience ou de l'abstraction physiques, puisque les objets eux-mêmes comportent une géométrie.

Mais il reste à considérer les cas, et l'histoire de la physique en abonde, où certains contenus expérimentaux résistent aux opérations connues et exigent de nouvelles constructions. C'est ce que l'on observe déjà dès la genèse aux niveaux où l'élaboration des lois et surtout l'explication causale donnent lieu à des structurations paraissant imposées du dehors. Or, il est remarquable de trouver en ces situations modestes un processus quelque peu comparable aux rapports qui, à des niveaux supérieurs de la pensée scientifique, existent entre la physique expérimentale puis théorique (celle-ci étant encore soumise à l'expérience) et la physique mathématique qui reconstruit par voie purement déductive ce qu'ont établi les disciplines précédentes. On observe, en effet, vers 10-11 ans, d'abord des essais de mises en relations demeurant partielles, telles que des références spatiales relevant de deux systèmes distincts mais non coordonnées, ou des correspondances quantitatives respectant les inégalités en jeu mais sans dépasser les procédures additives ; puis dans une deuxième phase les anticipations deviennent possibles une fois coordonnés les deux systèmes de référence ou une fois élaborés les rapports multiplicatifs propres aux proportions. Mais, en de tels cas, l'expérience ne suffit pas à assurer la formation des opérations nouvelles, faute d'instruments de lecture adéquats, et c'est l'activité opératoire du sujet qui aboutit à la construction de ces instruments et (troisième phase) à celle de la structure explicative. Plus précisément le rôle de l'expérience ne consiste, en une première phase, qu'à démentir les prévisions trop simples fondées sur les opérations dont disposait le sujet et le forcer à en chercher de plus adéquates. Par exemple, en une recherche sur la distributivité dans l'étirement d'un élastique, le sujet commence par raisonner en termes additifs comme si l'allongement se marquait à l'extrémité seulement (puis au terme de chacun des segments inégaux mais avec additions égales) : l'expérience le détrompe alors, mais, faute de structures multiplicatives et de proportions, il se contentera de relations partielles et admettra qu'un grand segment augmente un peu plus qu'un petit sans savoir de combien. La seconde phase débute avec la compréhension de la proportionnalité, mais il est essentiel de noter que celle-ci ne résulte pas sans plus des expériences : elle constitue l'instrument d'assimilation nécessaire à la lecture de ces dernières, et si elles ont provoqué sa construction il a fallu, pour l'effectuer, l'activité logico-mathématique du sujet. Vient alors la troisième phase, qui peut d'ailleurs prolonger immédiatement la seconde : l'explication de l'étirement par une transmission distributive, et donc homogène, de la force. Or, du point de vue mathématique, l'intérêt de cette interprétation causale est que, s'il s'agit certes d'une « attribution » des opérations à l'objet lui-même, comme nous y reviendrons au paragraphe suivant, l'élaboration de ce modèle n'a été possible qu'en partant de l'instrument d'assimilation ayant auparavant permis la lecture de la loi, donc à partir d'une construction logico-mathématique « appliquée » aux objets avant que les opérations ainsi construites leur soient « attribuées » à titre causal.

On constate alors une convergence relative de ces faits génétiques avec les procédés selon lesquels la physique mathématique elle-même se livre à des constructions autonomes provoquées, mais non pas dictées, par l'expérience. A remonter plus haut que la psychogenèse, on pourrait aller jusqu'à voir une analogie entre ces relations cognitives de la déduction (endogène) avec l'expérience, et les relations biologiques du génome avec le milieu, lorsque le premier construit de façon autonome une « phénocopie » ne résultant pas sans plus de l'action du phénotype mais lui correspondant par une sorte de moulage actif.

III. — Epistémologie de la physique

Nous avons relevé, à propos du domaine mathématique, que certaines notions apparues tardivement dans le travail de la science se révèlent au contraire assez primitives dans la psychogenèse, comme si la prise de conscience partait des résultantes avant de remonter aux sources : c'est le cas de la correspondance bi-univoque, ainsi que des structures topologiques (qui chez l'enfant semblent précéder de beaucoup les constructions euclidiennes et projectives). Sur le terrain physique un phénomène analogue se présente de la manière suivante. Lors des révolutions scientifiques, dont les sciences les plus avancées de la nature ne cessent de nous donner le spectacle, la plupart des notions classiques sont ébranlées et doivent se soumettre à des restructurations : le temps, l'espace physique, les conservations de la masse et de l'énergie, etc., avec la théorie de la relativité ; le continu, les relations entre les corpuscules et les ondes, le déterminisme lui-même, etc., avec la microphysique. Par contre, certains concepts semblent résister plus que d'autres : la vitesse prend ainsi dans l'univers relativiste la signification d'une sorte d'absolu, même si elle s'écrit sous la forme d'une relation, et la grandeur physique « action » joue un rôle analogue dans la microphysique. Or, dans la perspective selon laquelle l'organisme vivant assure la liaison entre le monde physique, dont il fait partie, et les comportements ou même la pensée du sujet, dont il est la source, on pourrait être alors conduit à supposer que ces notions qui sont les plus résistantes sont également les plus profondément enracinées au point de vue psycho- et même peut-être biogénétique.

A) En ce qui concerne les relations cinématiques (vol. XX et XXI des « Etudes »), il est, en effet, frappant de constater que dans le domaine des perceptions animales héréditaires (les recherches ont porté sur des batraciens et des insectes) il existe une perception différenciée de la vitesse, comme des formes et des distances, et l'on a même pu trouver chez la grenouille des cellules spécialisées à cet égard, tandis qu'il n'existe rien de tel pour la durée. Chez l'enfant on observe une intuition précoce de la vitesse indépendante de la durée et fondée sur la notion purement ordinale du dépassement (ordres de succession dans l'espace et dans le temps mais sans référence aux espaces parcourus ni aux durées), tandis que les intuitions temporelles semblent toujours liées à des rapports de vitesse, en particulier la simultanéité. C'est ainsi que le jeune sujet admettra sans difficulté la simultanéité des départs et celle des arrivées pour deux mouvements de mêmes vitesses, parallèles et issus d'origines voisines, mais il contestera celle des arrivées si l'un des deux mobiles arrive plus loin. Lorsqu'il parvient à reconnaître ces simultanéités des départs puis des arrêts, il continuera néanmoins longtemps à penser que le parcours plus long a pris plus de temps. Chez l'adulte encore, de deux mouvements de vitesses différentes présentés en durées brèves, le plus rapide paraît perceptivement cesser avant l'autre alors que les arrêts sont objectivement simultanés. De même la perception des durées sera influencée par celle des vitesses.

De manière générale, tant qu'il s'agit d'un seul mouvement, le sujet saura dire très tôt qu'un parcours *AC* prend plus de temps que les parcours partiels *AB* ou *BC* et qu'en un temps *AC* le parcours sera plus long qu'en des durées partielles *AB* ou *BC*. Ou lorsqu'il s'agit des fréquences de présentation d'un son ou d'un éclair lumineux, il saura de même trouver sans problème les relations entre ces fréquences et les durées. Mais dès qu'il intervient deux mouvements différents ou deux fréquences distinctes, les difficultés surgissent du fait qu'il est alors nécessaire de coordonner deux temps locaux et deux espaces (ou fréquences) locaux pour en tirer les relations spatio-temporelles communes aux deux mouvements ou changements, et jusque vers 9 ans ces coordinations resteront essentiellement ordinales (confusion de plus long et de plus loin ou plus de temps, etc.). Il n'est donc pas exagéré de penser qu'aux vitesses et distances d'échelle supérieure les coordinations auxquelles a dû se livrer la mécanique relativiste, lorsque les faits (l'expérience de Michelson et Morley, etc.) ont montré l'insuffisance du temps homogène universel et des extrapolations fondées sur notre espace euclidien à l'échelle proche, participent d'un processus général de coordination entre les vitesses, les durées et les distances, dont la première étape a consisté à coordonner simplement les relations inhérentes à chacun des deux mouvements distincts pour aboutir à ce temps et cet espace euclidien homogènes. Les anciennes (mais toujours actuelles) réflexions de Poincaré sur les conditions de la simultanéité dans l'expérience immédiate le montraient déjà clairement et il est intéressant de constater que les faits observables au cours de la psychogenèse des notions cinématiques témoignent de difficultés bien plus considérables encore. En une telle perspective, à la fois génétique et historique, le primat général de la notion de vitesse (vitesse mouvement ou vitesse fréquence) acquiert ainsi une signification épistémologique remarquable.

B) A en venir à la grandeur physique « action » et de façon générale à l'explication causale, les faits psychogénétiques semblent montrer à l'évidence que la causalité est née de l'action propre, dès le niveau sensori-moteur et aux débuts de l'intelligence représentative : mais nous sommes encore loin de l'action au sens physique, car, s'il intervient déjà très tôt, et surtout dès les actions instrumentales, des intuitions de poussées, de résistances et de transmission immédiate du mouvement, il s'y ajoute toutes sortes de « pouvoirs » variés et non analysés où se mêlent l'illusion subjective et les relations effectives. Et surtout les relations causales entre objets résultent d'une attribution de ces actions et pouvoirs propres selon un psychomorphisme encore général. Dès le second niveau préopératoire s'élaborent par contre les « fonctions constituantes » qui marquent un début de décentration du sujet, puis, dès le premier niveau du stade des « opérations concrètes », la causalité témoigne d'une attribution des opérations elles-mêmes aux objets, d'où la formation des transmissions « médiates », etc. (voir le chap. Ier, § IV). A ce niveau l' « action » commence alors à acquérir une signification physique : par exemple, pour des poussées sur un plan horizontal, le sujet admettra l'équivalence d'un choc du mobile actif lançant le mobile passif de *A* en *B* et d'un entraînement continu au cours duquel le mobile actif accompagne le mobile passif qu'il pousse ainsi plus lentement de *A* en *B*. En ce cas, on peut déjà parler d' « actions » au sens *fte*, le temps court du lancement étant compensé par un choc plus fort et le temps long de l'entraînement par une poussée plus faible. De plus la poussée p tient à la fois compte des poids et des vitesses d'où $p = mv$, bien que, comme on l'a vu, la force ne soit pas encore différenciée du mouvement lui-même (d'où $fte = dp$). Au second niveau des opérations concrètes s'effectue la différenciation et dès les opérations formelles le rôle de l'accélération s'impose (d'où $f = ma$).

En cette évolution des notions d'action et de force, comme dans les très nombreuses situations causales déjà étudiées (transmissions, compositions des forces, actions et réactions, etc.), on retrouve sans cesse ce rôle des opérations du sujet, comme déjà indiqué au paragraphe précédent, mais accompagné de cette « attribution » des structures opératoires aux objets eux-mêmes, ce qui nous intéresse maintenant, car il y a là une nouvelle convergence, et d'ordre très général, entre la genèse et le développement de la pensée scientifique elle-même.

C) Sur ce dernier terrain, on sait assez la portée épistémologique du problème des relations entre la légalité et la causalité, puisque la première appartient au domaine des observables, tandis que la causalité est toujours inobservable et seulement déduite, d'où la méfiance traditionnelle de l'empirisme puis du positivisme à son égard. Même en ce qui concerne la « perception de la causalité » au sens de Michotte, on perçoit effectivement, lors de l'action d'un mobile sur un autre, que quelque chose « a passé », mais on ne voit rien « passer » : déjà à ce plan élémentaire la causalité constitue donc la résultante d'une composition (ici entre régulations perceptives), mais non pas l'un des observables, et, à s'en tenir à ceux-ci, Hume pourrait continuer à parler de simples successions régulières, donc de « conjonctions » sans « connexions ».

Certes, si observables soient-ils, les faits généraux et les relations répétables qui constituent la légalité ont déjà besoin d'opérations pour être enregistrés et cela dès la lecture de l'expérience comme rappelé au paragraphe précédent. Duhem insistait jadis sur le nombre de présuppositions théoriques qu'implique l'affirmation « le courant s'établit », lorsque l'observateur ne voit qu'une aiguille se déplacer légèrement sur le tableau d'un appareil électrique. Il en faut proportionnellement tout autant à l'enfant pour juger d'une simple accélération ou pour reconnaître que le jet sortant latéralement d'un tube cylindrique vertical percé d'un trou dépend de la colonne d'eau située au-dessus de lui et non pas d'un mouvement ascendant. Les purs observables ont beau ne consister qu'en déplacements ou en changements d'état, ils sont déjà structurés par de multiples relations dès la lecture et plus encore lors de leur généralisation en lois, ce qui suppose une continuelle activité opératoire du sujet. En un mot le fait physique n'est accessible que par la médiation d'un cadre logico-mathématique dès la constatation et *a fortiori* au cours du travail d'induction. Mais les opérations dont il s'agit en ces cas ne sont encore qu' « appliquées » aux objets, c'est-à-dire qu'elles fournissent des formes à ces contenus physiques comme elles pourraient le faire pour n'importe quels contenus susceptibles d'en accepter de telles en leurs nombreuses variétés. Des formes opératoires élémentaires, dont la genèse montre qu'elles sont nécessaires pour constater et généraliser les faits, aux équations fonctionnelles les plus raffinées que les mathématiques offrent aux physiciens pour structurer leurs lois, ce processus de l' « application » est le même et il suffit en ce qui concerne la légalité.

Tout autre est le processus de l'explication causale, qui comporte un ensemble d'échanges surprenants entre les opérations logico-mathématiques et les actions des objets. Expliquer les lois, autrement dit en fournir la raison au lieu de se borner à la description, si analytique soit-elle, c'est d'abord en déduire certaines à partir d'autres jusqu'à constituer des systèmes. Mais cette déduction ne fait pas sortir de la légalité, tant qu'elle se borne à insérer des lois particulières en de plus générales pour les en tirer ensuite par voie syllogistique. La déduction ne devient explicative qu'à partir du moment où elle prend une forme constructive, c'est-à-dire où elle tend à dégager une « structure » dont les transformations permettraient alors de retrouver les lois tant générales que particulières, mais à titre de conséquences *nécessaires* de la structure et non plus à titre de généralités de divers ordres simplement emboîtées. Une telle structure, empruntée cela va sans dire à l'arsenal des structures mathématiques possibles (telles quelles ou remaniées pour s'adapter au problème considéré), revient alors à introduire au plan physique ce que l'on appelle des « modèles ».

Mais tout n'est pas dit ainsi et le modèle ne joue son rôle explicatif que dans l'exacte mesure où les transformations de la structure ne permettent pas simplement au sujet-physicien de s'y retrouver lui-même dans le dédale des relations ou des lois, mais où elles correspondent effectivement et matériellement aux transformations objectives et réelles (donc pour ainsi dire « ontiques ») qui se produisent dans les choses. C'est alors à cette étape que se marquent les deux différences fondamentales entre la légalité et la causalité. La première est que si la légalité peut en rester au plan des « phénomènes », sans avoir à trancher de la réalité ou de l'inutilité de supports possibles, la causalité exige que « l'objet existe » : d'où la recherche permanente d'objets à toutes les échelles, dont les débuts historiques remontent à l'époque où, sans encore aucune expérience à l'appui ni même aucun soupçon de la méthode expérimentale, les Grecs sont parvenus à l'hypothèse héroïque d'un monde d'atomes dont les compositions rendaient compte de la diversité qualitative du réel. La seconde différence entre la légalité et la causalité dérive de la précédente : tandis que les opérations en jeu dans la constitution des lois ne sont qu'appliquées aux objets, celles qui interviennent dans la structure ou le modèle prêtés à des objets leur sont alors « attribuées » en ce sens que ces objets eux-mêmes, puisqu'ils existent, deviennent les opérateurs qui effectuent les transformations du système. Et comme ces opérations attribuées sont en principe les mêmes que celles dont usait la légalité, à cette différence près qu'elles sont coordonnées en « structures », et comme ces structures sont analogues à celles des constructions logico-mathématiques (aux différences près dues à leur insertion dans la durée et la matière), les attributions causales donnent à l'esprit la possibilité de « comprendre », en raison de cette convergence entre ce que font matériellement les opérateurs objectifs et ce que peut faire en ses déductions le sujet lui-même.

A partir des multiples attributions de structures concrètes et surtout formelles dont nous avons donné quelques exemples au chapitre Ier (transitivité et transmissions, compositions multiplicatives, groupe *INRC*, etc.) jusqu'aux structures de groupes dont usent les différentes mécaniques et aux opérateurs interdépendants décrits par la microphysique, le processus de l'explication causale se présente de façon très générale sous ces formes fonctionnellement analogues.

D) Mais, alors que ces convergences entre les opérations logico-mathématiques et les opérateurs causaux soulèvent du point de vue de celles-là le problème général du pourquoi d'une telle adéquation (discuté en II, C), elles conduisent réciproquement à se poser, du point de vue de la physique, certaines questions troublantes.

Si l'empirisme logique était dans le vrai, l'objectivité du sujet devrait être immédiate et générale en raison des contacts perceptifs possibles avec les objets, seule l'extension croissante des échelles de la recherche expliquant les difficultés rencontrées, progressivement surmontées ; dans cette perspective physicaliste les opérations logico-mathématiques se réduiraient à un simple langage en lui-même tautologique, mais servant à raconter ce que l'observation fournit ; enfin les opérations proprement physiques ne consisteraient qu'en celles décrites par Bridgman, qui permettent à l'observateur de trouver ou retrouver les relations, en particulier métriques, que les différences d'échelle voilent à l'observation immédiate (cf. les méthodes servant à évaluer les distances entre deux villes ou entre deux étoiles). Le problème est alors de comprendre pourquoi un tableau si simple est historiquement insuffisant, ce qui revient à se demander pourquoi la physique (expérimentale comme mathématique) s'est constituée avec un retard si considérable par rapport aux sciences purement déductives, alors que, si les interprétations du positivisme logique étaient vraies, elle aurait dû les précéder ou se développer de pair avec elles.

L'objectivité, tout d'abord (vol. V et VI des

« Etudes »), est un processus et non pas un état, et elle représente même une conquête difficile, par approximations indéfinies, parce que devant remplir les deux conditions suivantes. La première est que le sujet, ne connaissant le réel qu'à travers ses actions (et non pas seulement ses perceptions), l'accession à l'objectivité suppose une décentration. Or, celle-ci est loin de ne caractériser que le passage de l'enfance à l'âge adulte : toute l'histoire de l'astronomie est celle de centrations successives dont il a fallu se libérer depuis l'époque où les corps célestes suivaient les hommes (l'étoile des rois mages, etc.) jusqu'à Copernic et Newton, qui croyaient encore universels nos horloges et nos mètres. Et ce n'est là qu'un exemple. Or, le sujet ne parvient à se décentrer qu'en coordonnant en premier lieu ses actions sous les espèces de structures opératoires de plus en plus compréhensives. Seulement l'objet, n'étant d'abord connu qu'à travers les actions du sujet, doit lui-même être reconstitué et devient de ce fait une limite dont on cherche à se rapprocher indéfiniment, mais sans jamais l'atteindre : la seconde condition de l'objectivité est donc cette reconstitution par approximations, d'où une série de nouvelles coordinations, entre les états successifs d'un même objet ainsi qu'entre les objets, ce qui revient à l'élaboration de principes de conservation et de systèmes causaux. Mais, comme il s'agit des mêmes coordinations opératoires, on pourrait alors soutenir que la décentration du sujet et la reconstitution de l'objet sont les deux aspects d'une même activité d'ensemble. Cela est vrai, mais sous cette réserve essentielle que la coordination des opérations du sujet peut s'effectuer déductivement, tandis que la construction du réel suppose en plus un recours constant à l'expérience : or, la lecture comme l'interprétation de celle-ci requièrent elles-mêmes la coordination précédente. La complexité d'une telle situation est sans doute ce qui explique le retard historique de la physique sur les mathématiques. Elle montre en tout cas pourquoi il est illusoire de considérer avec l'empirisme l'objectivité comme une démarche spontanée pour ne pas dire automatique des fonctions cognitives.

Si les opérations logico-mathématiques jouent ainsi un rôle nécessaire dans la décentration du sujet et la reconstitution de l'objet, les considérer comme un langage descriptif revient à dire que la construction des outils de la description doit précéder la mise en œuvre de celle-ci. Or, cela n'a de sens que si cette description est en fait constitutive, donc si elle est bien plus qu'une description. Mais, du point de vue de l'épistémologie de la physique, le problème est alors le suivant : les structures logico-mathématiques (qu'on les taxe de langage, mais indispensable à la compréhension, ou d'instruments de structuration, peu importe maintenant) portent sur l'ensemble extemporané des possibles, tandis que leur insertion dans le réel, d'abord à titre d'applications pour l'établissement de lois objectives et surtout à titre d'attributions pour atteindre l'explication causale, revient à les incarner dans le temporel, le fini, et donc en un secteur essentiellement limité par rapport aux dimensions de ces structures abstraites. Or, l'étonnant est que le réel n'est effectivement atteint, non seulement en son objectivité, mais encore et surtout en son intelligibilité, qu'une fois ainsi inséré entre le possible et le nécessaire, c'est-à-dire en tant qu'intercalé entre des possibles reliés entre eux par des liens déductivement nécessaires.

Dans le détail des théories physiques ce processus

est courant, même aux niveaux les plus élémentaires. Expliquer un état d'équilibre par la compensation de tous les travaux virtuels, c'est se donner un tableau de toutes les possibilités compatibles avec les contraintes du système et les composer selon un lien nécessaire : d'où l'intelligibilité de l'état de fait, en l'occurrence seul réel. Calculer une composition de forces c'est raisonner comme si chacune constituait un vecteur indépendant des autres et en même temps les relier par une addition vectorielle qui les subordonne toutes à un ensemble d'intensité et de direction seules actuellement réelles : opération dont le sens mathématique est trivial, mais dont la signification physique est épistémologiquement si étrange que Descartes s'est fourvoyé dans ses neuf lois du choc et que les cas les plus simples de composition des tractions par le poids ne sont dominés par l'enfant qu'au niveau des opérations formelles. Dans les cas plus complexes, comme les intégrales de Fermat ou de Lagrange intervenant dans les calculs d'*extremum*, cette insertion du réel entre le possible et le nécessaire devient si évidente que Max Planck a voulu y voir une subordination du monde physique à un principe de finalité lui paraissant aussi objectif que celui de cause efficiente, les objets devenant ainsi des « êtres de raison » se conformant à un plan d'ensemble. Mais si cette raison demeure celle du physicien, le problème se réduit à celui des relations entre le possible et le réel et, comme on le sait, c'est en ces termes que se posent finalement toutes les questions de probabilité.

Au total, les opérations dont a besoin la physique, qu'il s'agisse de celles du sujet physicien ou des opérateurs en jeu dans les actions des objets, débordent de loin le cadre de l'opérationalisme de

Bridgman, parce qu'il s'agit de part et d'autre d'opérations structurantes et non pas seulement de procédés utilitaires destinés à s'y retrouver en des structures données d'avance. Certes, l'objet existe et les structures objectives existent elles-mêmes avant qu'on les découvre. Mais on ne les découvre pas au terme d'un voyage opérationnel (au sens bridgmanien) à la manière dont Colomb a trouvé l'Amérique au cours du sien : on ne les découvre qu'en les reconstruisant, c'est-à-dire qu'on peut s'en rapprocher de plus en plus, mais sans la certitude de les toucher jamais simplement. En cette perspective le sujet lui aussi existe et même si ses instruments procèdent en leur source du monde physique lui-même, par l'intermédiaire de la biogenèse, ils le dépassent sans cesse en construisant un univers extemporané de possibles et de liens nécessaires, qui est bien plus fécond qu'un « univers du discours » puisqu'il s'agit de systèmes de transformations enrichissant les objets pour mieux les rejoindre.

Si de tels propos peuvent paraître étranges, c'est sans doute parce que la physique est loin d'être achevée, faute d'avoir encore pu s'intégrer la biologie et *a fortiori* les sciences du comportement. Il en résulte que nous raisonnons actuellement sur des domaines séparés et artificiellement simplifiés, la physique n'étant jusqu'ici que la science des objets non vivants ni conscients. Le jour où elle deviendrait plus « générale » (selon la forte expression de Ch.-Eug. Guye) et atteindrait ce qui se passe dans la matière d'un corps en train de vivre ou même d'user de raison, l'enrichissement épistémologique de l'objet par le sujet, dont nous faisons ici l'hypothèse, apparaîtrait peut-être comme une simple loi relativiste de perspective ou de coordination des référentiels, montrant à la fois que, pour le sujet, l'objet ne pourrait pas être autre que ce qu'il lui paraît, mais aussi que du point de vue des objets le sujet ne saurait être différent.

IV. — Le constructivisme et la création des nouveautés

En conclusion de ce petit ouvrage, il s'agit de cerner d'un peu plus près le problème central de la construction des connaissances nouvelles, que nous avons sans cesse rencontré, et de chercher ce que la perspective génétique peut fournir à cet égard.

A) En partant de la remarque précédente (fin du § III), il faut d'abord constater que, si la physique n'est pas achevée, ce qui va de soi, notre univers lui-même ne l'est pas davantage, ce que l'épistémologie oublie trop souvent : il se dégrade en partie, ce qui ne nous intéresse point ici, mais il est également le siège de créations multiples comme semble le montrer la cosmologie contemporaine. De même, à retracer l'évolution des espèces au cours du quaternaire, il s'est produit un ensemble considérable de nouveautés, à commencer par l'hominisation de quelques primates, et une série de races imprévues continue de se former en de nombreuses espèces animales et végétales. Quant aux modifications phénotypiques nouvelles, dont la nature est essentielle en ce qui concerne les connaissances, elles peuvent se produire presque à volonté sous nos yeux en tant qu'interactions non encore réalisées entre un organisme relativement plastique et un milieu modifié.

Mais, dès cette référence aux transformations biologiques, le problème se pose de l'alternative entre la nouveauté réelle et la prédétermination.

Les combinaisons possibles des séquences de l'*ADN* étant innombrables, il est facile de soutenir que toute variation héréditaire n'est que l'actualisation d'une combinaison préformée. Hypothèse irréfutable, mais inutile, a dit Dobzhansky ; cependant, il reste à analyser ce que signifient les termes de « possible » et d' « actualisation ». Or, en un tel domaine, le possible n'est reconnu de façon authentique que rétroactivement une fois réalisé, et cette actualisation comporte une interaction nécessaire avec les circonstances contingentes du milieu : la préformation d'un génotype nouveau ne signifie donc, en fait, que l'existence d'une certaine continuité avec ceux dont il est issu, mais ne couvre pas l'ensemble des conditions nécessaires et suffisantes à sa formation. *A fortiori*, celle d'un phénotype nouveau, donc la modification d'une « norme de réaction », comporte, bien entendu, une certaine continuité avec les états antérieurs de celle-ci, mais suppose en plus un certain nombre d'interactions avec le milieu qui n'étaient pas prévisibles dans le détail.

Seulement, à la différence des constructions cognitives que nous supposons être à la fois nouvelles et nécessaires, les nouveautés précédentes sont plus faciles à être reconnues telles, en tant que contingentes. A se rapprocher de la connaissance, la question qui se pose est celle de la créativité des actions humaines, et en particulier des techniques qui s'apparentent de près au savoir scientifique. Or les techniques semblent constituer les nouveautés les plus évidentes transformant chaque jour notre univers : en quoi sont-elles alors à qualifier de « nouvelles » et en quoi peuvent-elles à leur tour être considérées comme prédéterminées ? Le premier lancement d'un satellite artificiel a sans doute été l'une des actions techniques les plus minutieusement préparées et s'appuyant par conséquent sur le nombre le plus grand de connaissances préalables par rapport à l'essai tenté. On pourrait donc dire qu'il s'agit d'une combinaison calculable dont tous les éléments étaient donnés. Oui, mais autre chose est de concevoir une combinaison se réalisant fatalement entre de multiples facteurs appartenant à un nombre considérable de séries hétérogènes (des données astronomiques jusqu'à la nature du carburant) et autre chose est d'avoir eu l'idée de chercher cette combinaison. Dans le premier cas, la probabilité est encore bien plus faible que celle dont le biologiste Bleuler a fait le calcul pour analyser ce que serait la formation d'un œil par mutations conjuguées (il en arrivait à un processus dont la durée aurait dépassé l'âge de la Terre) : il est alors peu significatif de parler d'une prédétermination de la combinaison. Dans le second cas, l'idée directrice constitue certes l'aboutissement d'une série de projets antérieurs, mais la combinaison réalisée résulte de choix et de mises en relations non contenus en eux : elle est donc nouvelle en tant que combinaison due à l'intelligence d'un ou plusieurs sujets et elle nous enrichit d'objets qui n'étaient ni connus ni même déductibles avant certains rapprochements activement recherchés.

A ce plan de l'action, qui n'est pas encore celui des constructions nécessaires, se pose donc déjà le problème qui domine, semble-t-il, celui des nouveautés ou des préformations : si l'on considère comme prédéterminée toute production nouvelle du seul fait qu'elle était possible au vu des résultats obtenus, la question est alors d'établir si, par rapport au réel et à ses changements continuels, le possible est par nature stable parce que déjà entièrement meublé et de façon intemporelle, ou s'il est lui-même sujet à transformations, en ce sens que l'actualisation de certains de ses secteurs constitue une ouverture sur de « nouveaux » possibles. Or, des variations biologiques jusqu'aux constructions caractéristiques des actions humaines et des techniques, il semble aller de soi que toute innovation fraie précisément la voie à de nouvelles possibilités. Mais en est-il de même de la succession des structures opératoires, alors que chacune d'elles, une fois construite, apparaît comme nécessaire et déductible à partir des précédentes ?

B) Nous avons vu comment, au cours de la genèse, la connaissance procède au départ d'actions matérielles pour aboutir en fin de compte à l'intemporel et à une ouverture sur l'ensemble des possibles. Nous avons constaté, d'autre part, en quoi l'insertion des faits physiques dans les cadres logico-mathématiques et en quoi l'attribution des opérations aux objets eux-mêmes conduisaient à une insertion du réel entre le possible et le nécessaire, comme si l'univers des possibles était seul à pouvoir rendre intelligibles les transformations temporelles. De là au platonisme il semble n'y avoir qu'un pas, et jadis G. Juvet l'a franchi avec conviction au nom de « La structure des nouvelles théories physiques ». Mais entre deux sont venus le constructivisme au sens strict de Brouwer, les travaux sur les limites de la formalisation, les nouvelles recherches sur le transfini et l'étonnante liberté dans la construction des « morphismes », autant d'indices très significatifs d'une parenté éventuelle entre la genèse temporelle qui est l'un des objets de nos études et cette sorte de genèse ou de filiation intemporelles, mais non moins effectives, dont semble témoigner le développement des structures logico-mathématiques (voir à cet égard le vol. XV des « Etudes »).

Le problème est alors le suivant. Lorsque le mathématicien fait une invention qui ouvre une série de nouvelles possibilités, est-ce là simplement un épisode subjectif ou historico-génétique ne tenant qu'au travail humain et temporel des générations successives de chercheurs, ou s'agit-il d'une articulation reliant l'ensemble des possibles d'un niveau déterminé à un ensemble hiérarchiquement distinct de possibilités non contenues dans les précédentes et par conséquent opératoirement nouvelles ? Les travaux de Feferman et Schütte (précédés par des articles de Kleene, d'Ackermann et de Wermus sur les formalisations « constructives » du transfini) fournissent à cette question une réponse qui semble décisive sur le terrain de ces nombres transfinis. Ces auteurs sont d'abord parvenus à définir un nombre « kappa 0 » (K_0) qui constitue une limite pour la prédicativité. Autrement dit, jusqu'à K_0 non compris, on peut avancer au moyen d'une constructivité « effective » (donc d'une combinatoire rendant toute construction décidable), tandis que déjà pour définir K_0 et *a fortiori* au-delà on est contraint d'abandonner cette méthode. Par contre, passé la limite, de nouvelles possibilités sont ouvertes selon ce que l'on peut appeler une récursivité et une décidabilité « relatives ». Soit ainsi une classe S_0 où tout est décidable, plus une proposition ND_1 non décidable : dans l'hypothèse où ND_1 peut être considérée comme vraie (ou fausse) en vertu de suppositions particulières extérieures au système, l'ensemble S_1 ($= S_0 + ND_1$) devient « relativement décidable » par rapport à ND_1 ; si l'on adjoint à S_1 une nouvelle proposition ND_2 non décidable et que par hypothèse elle peut être vérifiée pour des raisons également extrinsèques, on aura l'ensemble S_2 ($= S_1 + ND_2$) « relativement décidable » ; et ainsi de suite par réorganisations successives et répétition transfinie.

Ces « degrés de solvabilité » correspondent alors à des structures par couches hiérarchisées (mais sans linéarité complète) faisant intervenir des problèmes non décidables de poids de plus en plus grand, mais cette hiérarchie de systèmes est impossible à circonscrire par une formule ou méthode de calcul effectives : on en est réduit à recourir à une série d'inventions successives (portant sur les ND), chaque stade étant irréductible au précédent de façon de plus en plus forte. On voit le double intérêt de ces résultats : d'une part, il devient difficile de parler de notions prédéterminées, puisque, au-delà de la limite K_0, on sort du domaine de la combinatoire, et l'argument classique (quoique douteux) selon lequel l'invention nouvelle était d'avance comprise dans l'ensemble des combinaisons possibles perd ainsi sa valeur ; d'autre part, chaque passage d'un palier au suivant ouvre de nouvelles possibilités, ce qui conduit à admettre qu'en mathématiques comme ailleurs l'univers des possibles n'est pas achevé une fois pour toutes, selon une programmation que l'on pourrait lire d'avance. En fait cette lecture reviendrait déjà à une construction par actualisations successives et l'on voit en outre qu'au-delà de la constructivité « effective » d'autres lui succèdent selon un mode imprévisible.

C) De façon générale, le problème que pose l'épistémologie génétique est de décider si la genèse des structures cognitives ne constitue que l'ensemble des conditions d'accession aux connaissances ou si elle atteint leurs conditions constitutives. L'alternative est alors la suivante : la genèse correspond-elle à une hiérarchie ou même à une filiation naturelles des structures, ou ne décrit-elle que le processus temporel selon lequel le sujet les découvre à titre de réalités préexistantes ? En ce dernier cas cela reviendrait à dire que ces structures étaient préformées, soit dans les objets de la réalité physique, soit dans le sujet lui-même à titre *a priori*, soit dans le monde idéal des possibles en un sens platonicien. Or, l'ambition de l'épistémologie génétique était de montrer, par l'analyse de la genèse elle-même, l'insuffisance de ces trois hypothèses, d'où la nécessité de voir en la construction génétique au sens large une construction effectivement constitutive. Le moment est venu de chercher si cette ambition était fondée.

a) A commencer par l'interprétation platonicienne, elle traduit un certain sens commun des mathématiciens pour lequel les « êtres » mathématiques existent de toute éternité indépendamment de leur construction. Or, le double enseignement de l'histoire et de la psychogenèse semble être de montrer, d'une part, que l'hypothèse d'une telle existence permanente (ou « subsistance », essence, etc.) n'ajoute rien à la connaissance logico-mathématique elle-même et ne la modifie en rien, et, d'autre part, que le sujet ne dispose d'aucun procédé cognitif spécifique permettant d'atteindre de tels « êtres », à supposer qu'ils existent, les seuls instruments connus des connaissances logico-mathématiques étant ceux qui interviennent en leur construction et se suffisent donc à eux-mêmes.

En ce qui concerne le premier de ces deux points, la différence est frappante entre les rôles que jouent respectivement les hypothèses d' « existence » dans le cas des objets physiques et dans celui des « êtres » mathématiques. Dire que sous les phénomènes atteints à titre d'observables par la recherche de la légalité en physique existent des objets réels, c'est modifier profondément l'interprétation de la causalité, puisque celle-ci perd sa signification si l'on s'en tient aux observables et s'impose au contraire si l'on croit aux « objets ». Par contre, supposer que les quaternions existaient de tout temps avant qu'Hamilton les construise ne change rien à leurs propriétés. Certes, une différence notable oppose le constructivisme de Brouwer, avec ses restrictions concernant le principe du tiers exclu, aux mathématiques classiques dont les constructions déductives font sans précaution usage des raisonnements par l'absurde. Mais dans notre langage ce sont là seulement deux types distincts de constructions ou d'utilisation des opérations, et ce débat ne suffit pas à trancher la question du platonisme, encore que l'opérationalisme de Brouwer comporte une épistémologie nettement antiplatonicienne.

Le seul exemple que nous ayons rencontré où la référence au platonisme semble modifier l'aspect technique d'une connaissance est cette affirmation de Juvet : ce n'est pas, comme le disait Poincaré, parce qu'il est non contradictoire qu'un être mathématique existe, c'est au contraire parce qu'il existe (au sens platonicien) qu'il est exempt de contradiction. Mais si ce mot est significatif à titre de recherche d'une utilisation concrète des croyances platonisantes, il n'en a pas moins été totalement démenti par le théorème de Gödel, puisque la démonstration de la non-contradiction d'un système suppose la construction d'un autre système plus « fort » et que la considération de leur existence au sens platonicien n'ajoute rien à l'affaire.

Quant au second point, on connaît assez l'évolution de B. Russell. De même que la « perception » nous fournit la connaissance des objets matériels, disait-il lors de la phase platonicienne de sa grande carrière, de même une faculté particulière, qu'il appelait « conception », nous donnerait accès aux idées éternelles qui « subsistent » indépendamment de nous. Mais que faire en ce cas des idées fausses, malheureusement plus fréquentes que les vraies ? Eh bien, a répondu Russell, elles « subsistent » elles aussi, à côté des vraies, « de même qu'il existe des roses rouges et des roses blanches ». Nous demanderons en outre, pour notre part, à partir de quel moment on peut être assuré de l'appartenance des concepts à ce monde éternel des idées justes et fausses : les « préconcepts » des niveaux antérieurs aux opérations logico-mathématiques y ont-ils déjà droit ? Et les schèmes sensori-moteurs ? Si B. Russell a rapidement renoncé à son platonisme initial, ce n'est donc pas sans raison : c'est qu'il n'ajoutait rien, sinon des complications, à sa tentative de réduire les mathématiques à la logique.

Nous conclurons de même quant aux rapports entre le platonisme et la construction génétique ou historique des structures. Certes l'hypothèse platonicienne est irréfutable en ce sens qu'une construction, une fois effectuée, peut toujours être dite, par le fait même, avoir été éternellement prédéterminée dans le monde des possibles en considérant celui-ci comme un tout statique et achevé. Mais comme cette construction constituait le seul moyen d'accès à un tel univers des Idées, elle se suffit à elle-même sans qu'il soit besoin d'en hypostasier le résultat.

b) Quant à considérer les structures de connaissances comme préformées soit dans les objets physiques, soit dans les *a priori* du sujet, la difficulté est qu'il s'agit là de deux termes limites, dont les propriétés se modifient au fur et à mesure qu'on croit les atteindre, les premiers en s'enrichissant et les seconds en s'appauvrissant.

Certes les objets existent et ils comportent des structures qui existent elles aussi indépendamment de nous. Seulement, les objets et leurs lois ne pouvant être connus que grâce à celles de nos opérations qui leur sont appliquées à cet effet, et constituent le cadre de l'instrument d'assimilation permettant de les atteindre, nous ne les rejoignons donc que par approximations successives, ce qui revient à dire qu'ils représentent une limite jamais atteinte. D'autre part toute explication causale suppose en plus une attribution de nos opérations aux objets, ce qui réussit et atteste par conséquent l'existence d'une analogie entre leurs structures et les nôtres ; mais cela rend d'autant plus difficile tout jugement sur la nature de ces structures objectives indépendamment des nôtres, cette nature indépendante devenant à son tour une limite jamais atteinte bien qu'on soit obligé d'y croire. Ce n'est donc pas pour rien que Ph. Franck n'est pas parvenu à se décider entre les deux conceptions possibles de la causalité : une loi de la nature ou une exigence de la raison, cette disjonction nous paraissant à nous à la fois non exclusive et réductible à une conjonction logique.

Seulement, si nous enrichissons ainsi les structures objectives de notre apport déductif, cela signifie que nos structures logico-mathématiques ne sauraient être considérées comme dérivant de structures matérielles ou causales des objets : leur point de contact est à chercher, comme on l'a vu au chapitre II, dans l'organisme vivant lui-même, car c'est à partir de cette source que les systèmes logico-mathématiques se sont élaborés en passant par le comportement, grâce à une suite ininterrompue d'abstractions réfléchissantes et de constructions autorégulatrices constamment nouvelles.

Pour ce qui est maintenant de l'hypothèse *a prioriste*, qui situerait la prédétermination dans le sujet et non plus dans les objets, on se trouve également en présence d'une sorte de limite, mais en un sens opposé. Il semble génétiquement évident que toute construction élaborée par le sujet suppose des conditions internes préalables, et à cet égard Kant avait raison. Seulement ses formes *a priori* étaient beaucoup trop riches : il croyait, par exemple, l'espace euclidien nécessaire, alors que les géométries non euclidiennes l'ont réduit au rang de cas particulier. Poincaré en a conclu que la structure de groupe était seule nécessaire, mais l'analyse génétique montre qu'elle aussi ne se construit que progressivement. Etc. Il en résulte qu'à vouloir atteindre un *a priori* authentique on doit réduire de plus en plus la « compréhension » des structures de départ et que, à la limite, ce qui subsiste à titre de nécessité préalable se réduit au seul fonctionnement : c'est, en effet, celui-ci qui constitue la source des structurations, mais au sens où Lamarck disait que la fonction crée l'organe (ce qui reste vrai au plan phénotypique). Il est alors clair que cet apriorisme fonctionnel n'exclut en rien, mais appelle une construction continue de nouveautés.

D) Si les structures nouvelles dont la genèse et l'histoire montrent l'élaboration successive ne sont préformées ni dans le monde idéal des possibles, ni dans les objets, ni dans le sujet, c'est donc que leur construction historico-génétique est authentiquement constitutive et ne se réduit donc pas à un ensemble de conditions d'accession. Mais une telle affirmation ne saurait être justifiée par le seul examen des faits, sur lesquels ont insisté les chapitres Ier et II de ce petit ouvrage : il y a là en plus une question de droit ou de validité, puisque la nouveauté d'une structure ne relève pas seulement de la constatation, mais encore et tout autant de la démonstration.

La nôtre ne sera qu'intuitive, mais on pourrait la formaliser dans le style inauguré par Gödel et les innombrables travaux de ces deux ou trois dernières années sur les ensembles transfinis. Elle se réduira même à quelques remarques simples, pour ne pas dire triviales : celles dont elle a coutume de faire usage pour réfuter en toute occasion les excès du réductionnisme. Dans tous les domaines du savoir, en effet, on a périodiquement assisté, en présence de deux paliers dont l'un est plus complexe que l'autre (et peut donc être dit « supérieur » à lui), soit à une tendance à réduire le supérieur à l'inférieur, soit à la tendance contraire en réaction contre les excès de la première. Sur le terrain de la physique, par exemple, on a longtemps considéré les phénomènes mécaniques comme un modèle élémentaire et même seul intelligible, auquel tout devait se réduire : d'où les efforts désespérés pour traduire l'électromagnétisme en langage de mécanique. Sur le terrain biologique on a voulu réduire les processus vitaux aux phénomènes physico-chimiques connus (en oubliant les transformations possibles d'une discipline qui effectivement se modifie sans cesse) : d'où la réaction d'un antiréductionnisme vitaliste dont le mérite tout négatif n'a consisté qu'à dénoncer les illusions des réductions prématurées. En psychologie on a voulu tout « réduire » au schème stimulus-réponse, aux associations, etc.

Si les hypothèses réductionnistes étaient fondées, il va de soi qu'elles excluraient tout constructivisme au sens rappelé à l'instant, et il en serait de même des subordinations de l'inférieur au supérieur (vitalisme, etc.) : en ces deux cas, toute structure « nouvelle » serait à considérer comme préformée au sein soit du plus simple, soit du complexe, la nouveauté ne consistant qu'en une explicitation réussie de liens préexistants. Réciproquement la réfutation du réductionnisme entraîne un appel au constructivisme.

En effet, partout où le problème a pu être résolu, on a abouti à une situation en accord remarquable avec les hypothèses constructivistes : entre deux structures de niveaux différents, il n'y a pas réduction à sens unique, mais une assimilation réciproque telle que la supérieure peut être dérivée de l'inférieure par voie de transformations, mais aussi telle que la première enrichit cette dernière en se l'intégrant. C'est ainsi que l'électromagnétisme a fécondé la mécanique classique en provoquant la naissance de nouvelles mécaniques, ou que la gravitation a été réduite à une sorte de géométrie, mais dont les courbures sont déterminées par les masses. On peut espérer de même qu'en réduisant la vie à la physico-chimie on enrichira celle-ci de propriétés nouvelles. Dans les domaines de la logique et des mathématiques, la réduction des secondes à la première rêvée par Whitehead et Russell a abouti à une sorte d'assimilation à double sens, la logique étant intégrée dans l'algèbre générale tout en servant d'instrument dans l'axiomatisation de celle-ci ou de n'importe quelle autre théorie (sans revenir sur les relations complexes existant entre le nombre et les structures de classes et relations). Etc. Il est alors visible que ces assimilations réciproques procèdent à la manière des abstractions réfléchissantes qui, en assurant le passage entre deux paliers hiérarchiques, engendrent de ce fait même de nouvelles réorganisations. En un mot la construction de structures nouvelles semble caractériser un processus général dont le pouvoir serait constitutif et ne se réduirait pas à une méthode d'accession : des échecs du réductionnisme causal, sur le terrain des sciences du réel, à ceux du réductionnisme déductif quant aux limites de la formalisation et aux rapports des structures supérieures avec celles de la logique, on assiste partout à une faillite de l'idéal de déduction intégrale impliquant la préformation, et cela au profit d'un constructivisme de plus en plus apparent.

Or, en analysant les stades les plus élémentaires, l'épistémologie génétique a pu montrer que les formes initiales de la connaissance étaient beaucoup plus différentes des formes supérieures qu'on ne le croyait, et que, par conséquent, la construction de celles-ci avait eu à parcourir un chemin bien plus long, bien plus difficile et surtout bien plus imprévisible qu'on ne pouvait l'imaginer. L'emploi de la méthode génétique enrichit donc d'autant les conceptions constructivistes, et c'est pourquoi, si partiels que soient nos résultats, nous avons confiance en son avenir malgré l'immensité du domaine qui reste à explorer.

BIBLIOGRAPHIE

OUVRAGES PUBLIÉS DANS LES « ÉTUDES D'ÉPISTÉMOLOGIE GÉNÉTIQUE »

(Presses Universitaires de France)

Vol. I. W. E. Beth, W. Mays et J. Piaget, *Epistémologie génétique et recherche psychologique*, 1957.

— II. L. Apostel, B. Mandelbrot et J. Piaget, *Logique et équilibre*, 1957.

— III. L. Apostel, B. Mandelbrot et A. Morf, *Logique, langage et théorie de l'information*, 1957.

— IV. L. Apostel, W. Mays, A. Morf et J. Piaget, *Les liaisons analytiques et synthétiques*, 1957.

— V. A. Jonckheere, B. Mandelbrot et J. Piaget, *La lecture de l'expérience*, 1958.

— VI. J. S. Bruner, F. Bresson, A. Morf et J. Piaget, *Logique et perception*, 1958.

— VII. P. Gréco et J. Piaget, *Apprentissage et connaissance*, 1959.

— VIII. L. Apostel, A. Jonckheere et B. Matalon, *Logique, apprentissage et probabilité*, 1959.

— IX. A. Morf, J. Smedslund, Vinh-Bang et J. F. Wohlwill, *L'apprentissage des structures logiques*, 1959.

— X. M. Goustard, P. Gréco, B. Matalon et J. Piaget, *La logique des apprentissages*, 1959.

— XI. P. Gréco, J. B. Grize, S. Papert et J. Piaget, *Problèmes de la construction du nombre*, 1960.

— XII. D. E. Berlyne et J. Piaget, *Théorie du comportement et opérations*, 1960.

— XIII. P. Gréco et A. Morf, *Structures numériques élémentaires*, 1962.

— XIV. E. W. Beth et J. Piaget, *Epistémologie mathématique et psychologie*, 1961.

— XV. L. Apostel, J. B. Grize, S. Papert et J. Piaget, *La filiation des structures*, 1963.

— XVI. E. W. Beth, J. B. Grize, R. Martin, B. Matalon, A. Naess et J. Piaget, *Implication, formalisation et logique naturelle*, 1962.

— XVII. P. Gréco, B. Inhelder, B. Matalon et J. Piaget, *La formation des raisonnements récurrentiels*, 1963.

— XVIII. Vinh-Bang, P. Gréco, J. B. Grize, Y. Hatwell, J. Piaget, G. N. Seagrim et E. Vurpillot, *L'épistémologie de l'espace*, 1964.

Vol. XIX. VINH-BANG et E. LUNZER, *Conservations spatiales*, 1965.
— XX. J. B. GRIZE, K. HENRY, M. MEYLAN-BACKS, F. ORSINI, J. PIAGET et N. VAN DER BOGAERT, *L'épistémologie du temps*, 1966.
— XXI. M. BOVET, P. GRÉCO, S. PAPERT et G. VOYAT, *Perception et notion du temps*, 1967.
— XXII. G. CELLERIER, S. PAPERT et G. VOYAT, *Cybernétique et épistémologie*, 1967.
— XXIII. J. PIAGET, J. B. GRIZE, A. SZEMINSKA et VINH-BANG, *Epistémologie et psychologie de la fonction*, 1968.
— XXIV. J. PIAGET, H. SINCLAIR et VINH-BANG, *Epistémologie et psychologie de l'identité*, 1968.
— XXV. M. BUNGE, F. HALBWACHS, Th. S. KUHN, J. PIAGET et L. ROSENFELD, *Les théories de la causalité*.
— XXVI. J. PIAGET et R. GARCIA, *Les explications causales*.
— XXVII. J. PIAGET, J. BLISS, M. BOVET, E. FERREIRO, M. LABARTHE, A. SZEMINSKA, G. VERGNAUD et T. VERGOPOULO, *La transmission des mouvements*.
— XXVIII. J. PIAGET, J. BLISS, C. DAMI, I. FLUCKIGER-GENEUX, M.-F. GRAVEN, R. MAIER, P. MOUNOUD et M. ROBERT, *La direction des mobiles lors de chocs et de poussées*.
— XXIX. J. PIAGET, M. CHOLLET, I. FLUCKIGER-GENEUX, A. HENRIQUES-CHRISTOPHIDES, J. de LANNOY, R. MAIER, O. MOSIMANN, A. SZEMINSKA, *La formation de la notion de force*.
— XXX. J. PIAGET, J. BLISS, M. CHOLLET-LEVRET, C. DAMI, P. MOUNOUD, M. ROBERT, C. ROSSEL-SIMONET, VINH-BANG, *La composition des forces et le problème des vecteurs*.
— XXXI. J. PIAGET, Cl.-L. BONNET, J.-P. BRONCKART, A. BULLINGER, A. CATTIN, J.-J. DUCRET, A. HENRIQUES-CHRISTOPHIDES, C. KAMII, A. MUNARI, I. PAPANDROPOULOU, S. PARRAT-DAYAN, M. ROBERT, Th. VERGOPOULO, *Recherches sur la contradiction. 1 / Les différentes formes de la contradiction*.
— XXXII. J. PIAGET, A. BLANCHET, G. CELLERIER, C. DAMI, M. GAINOTTI-AMANN, Ch. GILLIÉRON, A. HENRIQUES-CHRISTOPHIDES, M. LABARTHE, J. de LANNOY, R. MAIER, D. MAURICE, J. MONTANGERO, P. MOSIMANN, C. OTHENIN-GIRARD, S. UZAN, Th. VERGOPOULO, *Recherches sur la contradiction. 2 / Les relations entre affirmations et négations*.
— XXXIII. Jean PIAGET, *L'équilibration des structures cognitives. Problème central du développement*.
— XXXIV. J. PIAGET, I. BERTHOUD-PAPANDROPOULOU, J.-B. BILLETER, J.-F. BOURQUIN, J.-L. KAUFMANN, P. MŒSSINGER, J. MONTANGERO, A. MOREAU, A. MUNARI, A. SZEMINSKA et D. VŒLIN-LIAMBEY, *Recherches sur l'abstraction réfléchissante. 1 / L'abstraction des relations logico-arithmétiques*.
— XXXV. J. PIAGET, Ed. ACKERMANN, A. BLANCHET, J.-P. BRONCKART, J. CAMBON, N. COX, J. CUAZ, S. DAYAN, E. DECKERS, J. J. DUCRET, M. A. et I. FLUCKIGER, J. de LANNOY, M. LAVALLÉE, Cl. MONNIER, E. RAPPE DU CHER, M. SOLÉ-SUGRANES, M. SPYCHER, Th. VERGOPOULO et Cl. VŒLIN, *Recherches sur l'abstraction réfléchissante. 2 / L'abstraction de l'ordre et des relations spatiales*.

TABLE DES MATIÈRES

Imprimé en France
par MD Impressions
73, avenue Ronsard, 41100 Vendôme
Février 2008 — N° 54 387